A1.1

Amélie Lombardini
Roselyne Marty
Nelly Mous

VOCABULAIRE PROGRESSIF DU FRANÇAIS

D1319501

Avec 200 exercices

CLE
INTERNATIONAL

www.cle-inter.com

Crédits photographiques

FOTOLIA (de g. à dr., de bas en haut): **p. 6** tashka2000; tournee. **p. 8** pixelrobot; markus_marb; Maxim Malevich; rhg; Zerbor; nicolarenna. **P. 10** Unclesam; philip kinsey; Thomas Pajot; PhotoSG; Artur Marciniec; Kenishirotie; RTimages; PhotographyByMK; Pixel & Création. **P. 11** maxoidos; photka; Saksoni; lucadp; He2; Monkey Business Images. **P. 12** Robert Kneschke; slasnyi; Bartłomiej Szewczyk; Adam Gregor; Andres Rodriguez; Ivonne Wierink; lassedesignen; Claudia Paulussen; imagika; Kzenon; detailblick; detailblick. **p. 13** lassedesignen; Photographee. eu; Andrius Gruzdaitis; Minerva Studio; ARTUSH; undrey; Kalim; Richard Villalon; Zsolnai Gergely; rimmdream. **p. 14** contrastwerkstatt; Yuri Arcurs; Alexander Raths. **p. 16** Sylvie Bouchard; Boggy. **p. 17** Jeanette Dietl; paulo Jorge cruz. **P. 18** milanmarkovic78; Kalim; LuckyImages; Odua Images. **P. 19** Tyler Olson - SimpleFoto; bst2012; Ocskay Bence; Sebastian Gauert. **P. 20** ARochau; Monkey Business Images; Adam Gregor; goodluz; Pixinoo; Durluby; Dominique VERNIER. **P. 21** contrastwerkstatt. **P22** JPC-Prod; puhha; nyul; 2 bahram7; 9nong. **P23** pressmaster; Halpoint; puhha. **P24** Rawpixel; ChenPG; william87; blanche. **P25** WavebreakMediaMicro; Jenner; Maridav; Rasulov; bahram7; Beboy. **P26** picsfive; cutelittlethings. **P27** kotomiti; picsfive; cutelittlethings. **P28** KB3; Jean-Paul Comparin; JRassaerts; cmfotoworks; stevanzz. **P29** 135pixels; Blue Moon; NANCY; herreneck; Bruno Bernier. **P30** Andrey Popov; Rob hyrons. **P31** Paul Hill; lenets_tan; Minerva Studio; goodluz; Frank Boston; Jan Engel. **P32** Andres Rodriguez. **P33** Stuart Jenner; contrastwerkstatt; Alexander Raths; olly. **P34** apops; studioloco; Kurhan; JPC-PROD; Ljupco Smokovski; tudioloco; michaeljung; Adam Gregor; Andres Rodriguez; joseph_hilfiger; contrastwerkstatt; william87; gstockstudio; bahram7. **P35** Luis Louro; Adam Gregor; stockyimages; Africa Studio; auremar; Africa Studio; bahram7. **P36** Robert Kneschke; hansenn; Sergey Novikov; vladimirnenezic; Kurt Kleemann; HappyAlex; Spargel. **P37** rcx; nanami; ilynx_v; Albachiaraa. **P38** stockyimages; bokan; Patrizia Tilly; AntonioDiaz; muro; Maridav; Yeko Photo Studio. **P39** danr13; Yeko Photo Studio; shock; Wisky; Nicholas Piccillo. **P40** Spectral-Design; nerthuz; nerthuz; Tiler84; Andres Rodriguez; estionx; Delux; Bruno Bernier; Gertan; Aleksandr Bedrin; ALIAS; tropper2000; Paulista. **P41** Aleksandr Bedrin; ALIAS; Paulista; misterkakkak; tropper 2000; pico; JPC-PROD; Monkey Busines; Jessmine; bevangoldswain; Eugenio Marongiu; Nebojsa Bobic. **P42** pressmaster; contrastwerkstatt; ChantalS. **P43** Oksana Kuzmina; Photographee. eu; Yeko Photo Studio; Picture-Factory; Artem Rastorguev; contrastwerkstatt; Darren Bake. **P44** micromonkey; goodluz. **P45** goodluz. **P46** Rohit Seth; Ekaterina Planina; xixinxing; Nadiyka. **P47** boygostockphoto; zhagunov_a; 103tnn; selensergen; contrastwerkstatt; scalaphotography; Ericos. **P48** monticelllo; volff; Olivier Dirson. **P49** natalyka; Natika; gavran333; atoss; EM Art; ivanmollov; Dionisvera; Natika (2X); sergey88kz; Olivier Dirson; Valentina R; atoss; Viktor; gavran333; Jessmine; Tim UR; ExQuisine; Natika; ExQuisine; Olivier DIRSON; thodonal; EM Art. **P50** berc (2X); bilderstoeckchen. **P51** Anna Kucherova; Viktor; Natika; Mariusz Blach. **P52** Giuseppe Porzani; Eric Isselée; Anatolii; Tony Campbell; EwaStudio; Barbara Pheby; ZIQUIU; yellowj; angorius. **P53** L. Bouvier; womue; alain wacquier; ExQuisine; Christian Jung. **P54** JPC-PROD; unclepodger; Multiart; Patryssia; guy; jvinasd; Mara Zemgaliete; Volodymyr Shevchuk; baibaz; meirion; Caito; akf; yuliakotina; pogonici; eyewave. **P55** M. studio; svetamart; Valentina R.; Roman Ivaschenko; cynoclub; baibaz; guy; Valentina R.; akf; Serhiy Shullye; Roman Ivaschenko; Multiart. **P56** M. studio; cynoclub (x2); vetasster; pixelliebe; pixarno; Pictures news; Benjamin LEFEBVRE; M; Studio; Brad Pict; GATEU; Cpro; Gresei; stockphoto-graf. **P57** pixelliebe; M. studio; alain wacquier (X2); unpict; Richard Villalon. **P58** ikonoklast_hh; Louis Renaud; Pictures news. **P59** auremar. **P60** Coprid; fabiomax; baibaz; nicolarenna (X3); Picture news. **P61** Sophie James; nikolae. **P62** shotsstudio. **P64** Sunabesyou; Richard Villalon macgyverhh . **P65** Monkey Business; Kzenon; Kalim; Minerva Studio. **P66** Michael Nivelet; azurita; SOLLUB; Jérôme Rommé; Chlorophylle; Nitr; blende40; MSPhotographic; mariontxa; Fanfo; SOLLUB; Maceo; stockphoto-graf; Natis. **P. 67** blende40; azurita; Nitr; Fanfo; Jérôme Rommé; mariontxa; MSPhotographic. **P68** chones; unclepodger; eyewave; Pixelmania; kotoyamagami; StudioLaMagica, Rostislav Sedlacek; JPC-PROD; Richard Villalon; Hunor Kristo. **P69** chones (X2); DURIS Guillaume; laurine45; dalaprod; Thierry Hoarau; apops; Richard Villalon; DURIS Guillaume. **P70** illustrez-vous; Robert Kneschke; Richard Villalon; PHILETDOM. **P72** T. Michel. **P74** frikota; pepmiba; jusep. **P76** Yuri Bizgaimer; fivepointsix; bluesky6867; graphlight; mattei; PHILETDOM; ping han; RomainQuéré; djama; pepmiba; photoiron. **P77** Oleksiy Mark; RomainQuéré; Lulu Berlu; aloha2014; drimafilm; philippe Devanne; autofocus67 (X2); ping han. **P78** neftali; Jean-Michel LECLERCQ; Chantal. **P80** pict rider; Rokfeler; © SNCF. **P81** philippe Devanne. **P82** Henry Schmitt; ikonoklast_hh; Andres Rodriguez (X2); Orlando Bellini; il-fede; Patrick J. **P83** Kzenon; Igor Mojzes Patrick J.; Unclesam; maglara. **P84** Zdenka Darula; arizanko; mma23; mettus; fotodrobik; Valua Vitaly; studioloco; Valua Vitaly; stockyimages; ChenPG; arizanko; mma23; mettus; fotodrobik; Subbotina Anna. **P86** Sylvie Bouchard; SK; auremar. **P87** Rido; Kurhan. **P88** tunedin; RTimages. **P89** Tarzhanova; zakaz; Tombaky; sveta; Alexandra Karamyshev; Kayros Studio; demidoff; Alexandra Karamyshev. **P90** Alexandra Karamyshev (X4); chiyacat; dglavinova; Ruslan Kudrin; Popova Olga; Elnur; liubenkoivan; Unclesam; Africa Studio; burnel11; chungking. **P91** Alexandra Karamyshev; dglavinova; Popova Olga; Unclesam; burnel11; Driving South; Stasique. **P92** Maridav; Igor Mojzes; Durluby; Photographee. eu (x2); Igos; PHILETDOM; Seth. **P93** vladimirfloyd Photographee. eu; jinga80; jinga80; Alexander Raths. **P94** JPC-PROD; Jiri Hera; gosphotodesign; Coprid; DOC RABE Media; kiatipol; anoli; Jonathan Stutz. **P95** Constantinos; Jiri Hera; Hugh O'Neill; anoli; vectomart; Kurt Kleemann; JPC-PROD; Jonathan Stutz. **P96** Elnur; Jürgen Fälche; pethdoc; lassedesignen (X3); Innovated Captures; Laurent Hamels; orelphoto; PICOT. **P97** Danilo Rizzuti; Minerva Studio; Paolese; contrastwerkstatt; K.-P. Adler; Minerva Studio; maxximmm. **P98** rodjulian; Rido; cristovao31; contrastwerkstatt; Antonioguillem; Kantver; bahram7. **P99** Syda Productions. **P100** KB3; JS; poligonchik; 3darcastudio; poligonchik; Michael Nivelet; Iriana Shiyan; ico00; sutichak; Jürgen Fälche; concept w. **P101** Chany167; poligonchik; haveseen; 2mmedia; captblack76; marchello74; Photographee. eu. **P102** DragonImages; 3darcastudio; Michel Bazin; opka. **P103** lightpixel; opka; georgejmclittle; opka. **P104** tananddda; rico287; Karramba Production; Lars Zahner; TristanBM; blantiag; olly; littlestocker; Africa Studio (X2); Alex; kantver; chiyacat; Africa Studio; demidoff. **P105** M. Studio; Sergii Moscaliuk; guysagne; Vivian Seefeld; amenic181; tagore75; Africa Studio; akf; yunava1. **P112** Beboy. **P190-191** SHUTTERSTOCK/AlenKadr (ceinture).
Dessins et plans : Conrado Giusti et Oscar Fernandez.

Direction éditoriale : Béatrice Rego
Édition : Sylvie Hano
Mise en pages : AGD
Couverture : Miz'enpage
Enregistrement : Quali'sons

© CLE International / SEJER, Paris 2017
ISBN : 978-2-09-038218-1

Avant-propos

Le Vocabulaire progressif du français, niveau débutant complet s'adresse à des adultes et des adolescents qui font leurs premiers pas dans l'apprentissage de la langue française. Cet ouvrage peut être utilisé **en classe** comme support ou complément de cours ou **en auto-apprentissage**.

Les thèmes usuels de la vie quotidienne sont traités au fil des **29 fiches thématiques** qui composent cet ouvrage. Le lexique présent dans ce manuel permet à l'apprenant de communiquer, dans un pays francophone, lors d'interactions simples de la vie quotidienne, dans des situations de communication très récurrentes visant à satisfaire certains besoins concrets de la vie sociale.

Le contenu lexical évolue fiche après fiche, amenant progressivement l'apprenant à élargir son champ d'action. Avec le *Vocabulaire progressif du français, niveau débutant complet*, il apprendra, entre autres, à se présenter, à acheter des biens, à parler de sa santé ou encore, à louer un appartement.

Chaque fiche comprend, sur la page de gauche, **la leçon** et, sur la page de droite, **des exercices** de mise en application permettant à l'apprenant de **fixer ses acquis**.

Les pages de leçon sont composées :

– de nombreux **supports visuels et audio** ;

– d'encadrés « On le dit comme ça » qui récapitulent les termes et les expressions que l'apprenant doit mémoriser et abordent des points de phonétique et de phonologie ;

– d'encadrés « Ça se passe comme ça » qui permettent à l'apprenant de découvrir certains aspects des cultures francophones.

Les pages d'exercices sont composées d'activités variées :

– réemploi en contexte des termes vus dans la leçon ;

– discrimination auditive ;

– appariements (relier une image à un mot) ;

– jeux : mots fléchés, chercher l'intrus, etc. ;

– mises en situation concrètes.

Deux **fiches-bilan intermédiaires** permettent à l'apprenant de faire le point sur ses acquis.

Un **test d'(auto)évaluation** final noté sur 100, composé de 10 exercices, reprend l'essentiel du vocabulaire étudié et présente à l'apprenant le niveau du bagage lexical qu'il aura acquis.

En fin d'ouvrage, **un lexique** permet à l'apprenant de retrouver les mots des différentes leçons.

Les corrigés se trouvent dans un livret séparé (ISBN : 978-2-09-038162-7). L'étudiant peut ainsi travailler de manière autonome.

Les auteures

Sommaire

Les lettres :
A, B, C...

Les lettres

Les lettres d'imprimerie

Aa Bb Cc Dd Ee Ff Gg Hh Ii Jj Kk Ll Mm Nn Oo
Pp Qq Rr Ss Tt Uu Vv Ww Xx Yy Zz

Les lettres manuscrites

*Aa Bb Cc Dd Ee Ff Gg Hh Ii Jj Kk Ll Mm
Nn Oo Pp Qq Rr Ss Tt Uu Vv Ww Xx Yy Zz*

Les consonnes		Les voyelles	
MAJUSCULES	minuscules	**MAJUSCULES**	minuscules
B C D F G H J K L M N P Q R S T V W X Z	b c d f g h j k l m n p q r s t v w x z	A E I O U Y	a e i o u y

Épeler

• Alix – Karim – Yumika – Tarek – Lucas – Cécile – Pauline – Odile – Guillaume

Les accents sur la lettre *e*

• e accent aigu   → **é**
• e accent grave   → **è**
• e accent circonflexe   → **ê**
• e tréma   → **ë**

1   Écrivez en minuscules.

A → a	E → ___	I → ___	M → ___	Q → ___	U → ___	Y → ___
B → b	F → ___	J → ___	N → ___	R → ___	V → ___	Z → ___
C → ___	G → ___	K → ___	O → ___	S → ___	W → ___	
D → ___	H → ___	L → ___	P → ___	T → ___	X → ___	

4 **2**   Écoutez et écrivez les lettres en majuscules.

1. K   5. _____   9. _____   13. _____   17. _____

2. _____   6. _____   10. _____   14. _____   18. _____

3. _____   7. _____   11. _____   15. _____   19. _____

4. _____   8. _____   12. _____   16. _____   20. _____

5 **3**   Écoutez et entourez les bonnes lettres.

R	*e*	*è*	*K*	*a*	*j*
z	*o*	*p*	(*A*)	*T*	*v*
é	*k*	*V*	*t*	*ê*	*E*
d	*t*	*â*	*r*	*u*	*S*

4   Reliez la majuscule à la minuscule et écrivez le mot.

1. Alix   •   • k   _____
2. Karim   •   • l   *Lucas*
3. Yumika   •   • a   _____
4. Lucas   •   • t   _____
5. Tarek   •   • y   _____

6 **5**   Écoutez et écrivez.

1. *Guillaume*   3. _____

2. _____   4. _____

2 Les chiffres et les nombres : 1, 2, 3...

Les chiffres

 0 zéro   1 un   2 deux   3 trois   4 quatre

 5 cinq   6 six   7 sept   8 huit   9 neuf

Les nombres

10 dix	20 vingt	30 trente
11 onze	21 vingt **et** un	40 quarante
12 douze	22 vingt-deux	50 cinquante
13 treize	23 vingt-trois	60 soixante
14 quatorze	24 vingt-quatre	70 soixante-dix
15 quinze	25 vingt-cinq	80 quatre-vingt**s**
16 seize		90 quatre-vingt-dix
17 dix-sept		
18 dix-huit		
19 dix-neuf		

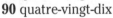 *Il est 14 heures.*

 80 ans !

soldes : -25 %

100 cent   **1 000** mille   **1 000 000** un million

On le dit comme ça

En Belgique, on dit :
70 = septante
90 = nonante

En Suisse, on dit :
70 = septante
80 = huitante ou octante
90 = nonante

10 **1** Écoutez et cochez la bonne case.

1. ☐ 7   ☐ 13   ☒ 16
2. ☐ 13   ☐ 23   ☐ 34
3. ☐ 50   ☐ 60   ☐ 70
4. ☐ 4   ☐ 14   ☐ 24

2 Reliez les nombres en chiffres aux nombres en lettres.

1. 0 •   • **a.** seize
2. 16 •   • **b.** cent
3. 8 •   • **c.** dix
4. 100 •   • **d.** huit
5. 12 •   • **e.** zéro
6. 10 •   • **f.** douze

11 **3** Écoutez et écrivez en chiffres.

1. trente-quatre : *34*   **4.** treize : _____
2. vingt-sept : _____   **5.** cent deux : _____
3. dix-neuf : _____   **6.** mille : _____

12 **4** Écoutez et écrivez en chiffres.

1. _____*63*_____   **3.** _____   **5.** _____
2. _____   **4.** _____   **6.** _____

13 **5** Écoutez et écrivez les nombres en lettres.

1. 4 : *quatre*   **4.** 11 : _____
2. 18 : _____   **5.** 40 : _____
3. 9 : _____   **6.** 28 : _____

14 **6** Écoutez et entourez la bonne réponse.

1. Il a ②/ *12* sœurs.   **4.** Il y a *3 / 4* lettres.
2. Le prix est de *20 / 100* euros. **5.** Il y a *25 / 35* % de réduction.
3. Il est *6 / 16* heures.   **6.** Il a *6 / 8* ans.

3 En cours de français

Dans la classe

 le stylo

 le livre

 le cahier

 le surligneur

 la tablette

 l'ordinateur (portable) / le PC

 le TBI/ le tableau blanc interactif

 le tableau

Les jours de la semaine

Lundi
Mardi
Mercredi
Jeudi
Vendredi
Samedi
Dimanche

Le samedi et le dimanche, c'est le **week-end**.
Les **jours fériés**, on ne travaille pas.

ACTIVITÉS

1 Observez et cochez la bonne case.

1. ☐ une tablette
   ☒ un tableau.
   ☐ un ordinateur portable

4. ☐ un surligneur
   ☐ un livre
   ☐ un stylo

2. ☐ un cahier
   ☐ un livre
   ☐ une tablette

5. ☐ un tableau
   ☐ une tablette
   ☐ un TBI

3. ☐ un tableau
   ☐ un cahier
   ☐ un livre

6. ☐ un surligneur
   ☐ un PC
   ☐ un cahier

 2 Écoutez et écrivez le jour de la semaine.

1. Damien arrive à Paris *mercredi*.

2. Tu viens _____ chez Pablo ?

3. _____ prochain, j'ai 35 ans.

4. Je ne travaille pas _____ .

5. Je n'ai pas cours _____ et _____ .

3 Complétez.

un *stylo*

l' _____

le _____

le _____

J'apprends le français

Les actions en classe

Parler
Elle parle.

Écouter
Il écoute.

Lire
Elle lit.

Écrire
Elle écrit.

Dire / Répéter
Le professeur dit « maison ».
L'élève répète « maison ».

Faire un exercice
Elle fait un exercice.

Épeler
Il épelle.

Poser une question.
Le professeur pose une question.
Répondre à une question.
L'élève répond à la question.

Corriger
Le professeur corrige
un exercice.

Comprendre
Vous comprenez ?

Oui, je comprends.

Non, je ne comprends pas.

ACTIVITÉS

1 Observez et écrivez.

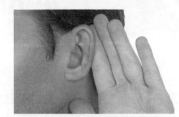

1. Il *répond à la question.*

2. Il _____.

3. Il_____.

4. Elle _____.

5. Il _____.

6. Elle _____.

2 Complétez les phrases avec les mots suivants : *épeler – ~~lire~~ – faire – ne comprends pas – écrire.*

1. J'adore *lire* des romans policiers.

2. Vous comprenez ? Non, je _____ .

3. Ton nom de famille, comment ça s'écrit ? Tu peux _____ ?

4. Tu aimes _____ des exercices ? Non, je préfère _____ un texte en français.

3 Observez et associez les images aux situations.

1. •

• **a.** Qui veut répondre ?

– Moi madame !

2. •

• **b.** Tu peux répéter ? Je n'entends pas bien !

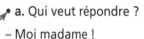

3. •

• **c.** Je corrige ton texte en français.

4. •

• **d.** J'écris une lettre en français.

5   Je m'appelle Marie Durand

Le prénom et le nom

19   Je m'appelle Marie DURAND.
Mon **prénom** est Marie
M - A - R - I - E
et mon **nom** est Durand
D - U - R - A - N - D.

20   Je m'appelle Patrice LEBEC.
Mon **prénom** est Patrice
P - A - T - R - I - C - E
et mon **nom de famille** est Lebec
L - E - B - E - C.

21   Bonjour ! Moi, c'est Marc Barre.

Bonjour, je suis Sophie Mallet.

On le dit comme ça

Je m'appelle …
Je suis …
Moi, c'est …

Mon **prénom** est …
Mon **nom** est …
Mon **nom de famille** est …

1 Lisez et complétez les fiches.

Nom du contact : DIOUF	**Nom du contact :** EL OUAMAD
Prénom du contact : Babacar	**Prénom du contact :** Fatima

1. Il s'appelle I__I__I__I__I__I__I__I__I__I__I

I__I__I__I__I__I__I__I__I__I__I__I__I__I

Son prénom est *Babacar*.

Son nom est I__I__I__I__I__I__I__I__I__I

2. Elle s'appelle I__I__I__I__I__I__I__I__I__I

I__I__I__I__I__I__I__I__I__I__I__I

Son prénom est I__I__I__I__I__I__I__I

Son nom est I__I__I__I__I__I__I__I__I

2 Complétez les phrases avec les mots suivants : ~~nom~~ – *prénom* – *je m'appelle.*

_____ Romain LEBAS. Lebas, c'est mon *nom* de famille et Romain,

c'est mon _____ .

(22) **3** Écoutez et écrivez les informations.

1. Je m'appelle *Antoine* Rousseau.

2. Je m'appelle _____ Petit.

3. Je m'appelle Nicolas _____ .

4. Je m'appelle Chloé _____ .

(23) **4** Écoutez et reliez le texte à la bonne personne.

1. Texte 1 •   • Maryse Dupont

2. Texte 2 •   • Maria Dupond

3. Texte 3 •   • Marine Dupont

4. Texte 4 •   • Marie Dupond

5 Et vous ? Complétez.

Je m'appelle _____ .

Mon prénom est _____ .

Mon nom est _____ .

L'âge

 24
– Tu as quel **âge** ?
– J'ai 17 ans. Et toi ?
  Tu as quel âge ?
– J'ai 18 ans.

 25
– Vous avez quel **âge** ?
– J'ai 35 ans. Et vous ?
– J'ai 33 ans.

On le dit comme ça

 26 **Attention à la prononciation !**

Il a u**n** an   Il a sep**t** ans

Il a deu**x** ans   Il a hui**t** ans

Il a troi**s** ans   Il a neu**f** ans → (⚠ attention on entend
                                            et on prononce « neuvan »)

Il a qua**tre** ans   Il a di**x** ans

Il a cin**q** ans   Il a onz**e** ans

Il a si**x** ans   Il a douz**e** ans

6 **Écoutez et reliez les prénoms aux âges.**

1. Émilie •   • 21 ans
2. Mathieu •   • 15 ans
3. Jérémy •   • 33 ans
4. Aurore •   • 44 ans
5. Laetitia •   • 60 ans
6. Sébastien •   • 19 ans

 7 **Écoutez et écrivez.**

1. Simon a 27 ans.
2. Nathalie a _____ ans.
3. Tom a _____ ans.

4. Denis a _____ ans.
5. Laura a _____ ans.
6. Emma a _____ ans.

8 **Observez les images et imaginez le dialogue.**

Lucile, 28 ans et Léa, 32 ans

– *Tu as quel âge Léa ?*

– *J'ai* _____

– _____

– _____

– _____

Léonard, 16 ans et Florian, 15 ans

– _____

– _____

– _____

– _____

– _____

9 **Et vous ? Vous avez quel âge ? Écrivez.**

J'_____.

6 Bonjour, comment ça va ?

Bonjour !

(29) – Bonjour monsieur !
– Bonjour madame !

(30) – Bonjour !
– Salut ! Ça va ?

Au revoir !

(31) – Au revoir monsieur !
– Au revoir madame !

(32) – Au revoir !
– Salut ! À bientôt !

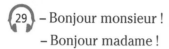

On le dit comme ça

Bonjour = Salut !
Au revoir = Salut !

1 Reliez les dialogues aux photos.

1. – Salut !

– Salut ! **a.**

2. – Bonjour Madame Lambert !

– Bonjour Émilie ! • **b.**

3. – Au revoir Pierre !

– Salut Simon ! À bientôt ! • • **c.**

33 **2** Écoutez et cochez la bonne case.

1. – Bonjour ! ☐   **2.** – Bonjour madame ! ☐   **3.** – Au revoir, Monsieur ! ☐

– Au revoir ! ☒   – Salut ! ☐   – Comment ça va ? ☐

3 Répondez.

1. – Salut !   **2.** – Au revoir !_____   **3.** – Bonjour ! _____

– *Salut !*   – _____   – _____

4 Imaginez le dialogue.

– _____ .

– _____ .

– _____ .

Comment ça va ?

34 – **Comment ça va ?**
– Ça va bien, merci et toi ?
– Ça va bien !

35 – **Comment vas-tu ?**
– Très bien ! Et toi ?
– Ça va bien !

36 – **Comment allez-vous ?**
– Bien, merci. Et vous ?
– Ça va bien !

Observez

Vous   Vous   Tu

On le dit comme ça

tu, toi → à un ami,
à une personne
de ma famille.
vous → à un commerçant,
à un inconnu.

Ça se passe comme ça

Avec une amie   Avec un inconnu

ACTIVITÉS

 5 a. **Mettez le dialogue dans l'ordre. Écoutez pour vérifier.**

– Bonjour Sophie !	_____
– Bien, merci. Et toi ?	_____
– Bonjour madame !	__1__
– Ça va bien !	_____
– Comment allez-vous ?	_____

b. **Écoutez et écrivez le dialogue.**

– *Bonjour madame !*

– _____

– _____

– _____

– _____

6 **Complétez avec les mots suivants :** *revoir – ~~salut~~ – à bientôt – tu – toi.*

– Salut Manon !

– *Salut* Lisa !

– Comment vas-_____ ?

– Bien, et _____ ?

– Très bien !

– Au _____ !

– _____ !

7 **Complétez le dialogue.**

Cliente : Bonjour madame !

Boulangère : _____

Cliente : Comment allez-vous ?

Boulangère : _____

 **8** **Écoutez et écrivez le numéro du dialogue sous l'image.**

1. Dialogue _____   2. Dialogue _____   3. Dialogue ___1___

7 Enchanté !

Les présentations

– Bonjour, **je m'appelle** Denis Dupont.
– **Enchanté ! Je m'appelle** Luc Martin.
– **Enchanté !**

– Bonjour, **je suis** Denis Dupont.
– **Enchanté ! Je suis** Luc Martin.
– **Enchanté !**

– Bonjour, **je me présente :** Denis Dupont.
– **Enchanté ! Moi, c'est** Luc Martin.
– **Enchanté !**

 Je te présente un ami
– Bonjour Lucas !
– Bonjour Pierre ! Je **te** présente Sophie.
– Enchanté !
– Sophie, je **te** présente Pierre !
– Enchantée !

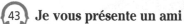 **Je vous présente un ami**
– Bonjour Lisa !
– Bonjour Paul ! Je **vous** présente Martin.
– Enchanté !
– Martin, je **vous** présente Paul !
– Enchanté !

On le dit comme ça

Je m'appelle…
Je suis…
Je **me** présente / Je **te** présente / Je **vous** présente…

Enchanté 🚹   Enchantée 🚺

1 Complétez avec : ~~je te présente~~ – je vous présente – je me présente – je te présente.

1. – Bonjour Sarah, *je te présente* Thomas.

– Enchantée Thomas !

2. – _____ : je m'appelle Annelise.

3. – Monsieur le directeur, _____ Madame Albertini.

– Bonjour madame ! Enchanté !

4. – Salut Lili. _____ Thomas.

– Bonjour Thomas ! Enchantée !

2 Reliez les dialogues aux photos.

a. •

b. •

c. •

• **1.** – Monsieur Ramaz,
    je vous présente monsieur Lamy.

• **2.** – Vincent, je te présente Fabien.

– Bonjour Fabien !

– Salut Vincent !

• **3.** – Bonjour, je me présente :
    Chloé Delambre.

3 Enchanté ou enchantée ? Complétez.

1. Pierre : Bonjour Sophie, je te présente mon ami Vladimir !

Sophie : _____ !

Vladimir : Moi aussi, je suis _____ !

2. Simon : _____ mademoiselle, je m'appelle Simon !

Margot : Et moi, c'est Margot, _____ !

4 Mettez le dialogue dans l'ordre.

– Oui, merci.   ____

– Salut !   ____

– Bonjour !   _1_

– Je te présente Olivier.   ____

– Ça va ?   ____

– Enchantée Olivier !   ____

8 Je suis chinois

Le pays

44 Bonjour ! Bienvenue au cours de français !
Vous venez de quel pays ?

– Je viens **de** Thaïlande. Je suis thaïlandais.

– Je viens **du** Maroc. Je suis marocaine.

– Je viens **des** États-Unis. Je suis américain.

– Je viens **d'**Allemagne. Je suis allemande.

La nationalité

45 **– Quelle est votre nationalité ?**

– Je viens de Chine. Je suis **chinois**.

46

Je viens de Russie.
Je suis **russe**.

Je viens d'Espagne.
Je suis **espagnole**.

Je viens d'Italie.
Je suis **italienne**.

Je viens du Japon.
Je suis **japonaise**.

On le dit comme ça

- Vous venez de quel pays ?
  Le pays → France
- Je viens de / du / d'/ des… + *pays*.

- Quelle est votre nationalité ?
  La nationalité → Français(e)
- Je suis… + *nationalité*

Découvrez les autres nationalités, p. 112.

1 Écrivez la nationalité comme dans l'exemple.

1. Allemagne   **2.** Chine   **3.** États-Unis   **4.** Italie

→ *allemand*   → _____   → _____   → _____

47 **2** a. Écoutez. Reliez les prénoms aux pays.

1. Yumiko   • **a.** Russie

2. Daniel   •   • **b.** Maroc

3. Boris   •   • **c.** Espagne

4. Yamina •   • **d.** Japon

48 b. Écoutez et écrivez la nationalité.

1. Yumiko : *japonaise*   **3.** Boris : _____

2. Daniel : _____   **4.** Yamina : _____

4 Transformez comme dans l'exemple.

1. Il est russe. Il vient de *Russie*.

2. Elle est allemande. Elle vient d' _____ .   **4.** Il est italien. Il vient d' _____ .

3. Il est américain. Il vient des _____ .   **5.** Elle est française. Elle vient de _____ .

5 Complétez.

Pays	👤	👤
le Maroc	*marocain*	marocaine
le Japon	_____	japonaise
les _____	américain	_____
la Belgique	_____	belge
le Canada	_____	canadienne

6 Et vous ? Complétez.

Je viens de _____ . Je suis _____ .

Vous habitez où ?

La ville et le pays

– J'**habite à** Paris. Et toi, tu habites où ?

– Moi, j'habite **à** Madrid. Et toi Carolina ? Tu habites dans quelle ville ?

– J'habite **à** Rome.

– J'habite **à** Paris, **en** France. Et toi, tu habites où ?

– Moi, j'habite **en** Espagne. Et toi Kioshi, tu habites dans quel pays ? **Aux** États-Unis ?

– Non, j'habite **au** Japon.

L'adresse

– Bonjour monsieur,
  vous vous appelez comment ?

– Olivier Dubois.

– Votre **nom de famille**, c'est Dubois ?

– Oui et **mon prénom** c'est Olivier.

– Vous habitez où ?

– J'habite à Paris.

– Quelle est **votre adresse ?**

– J'habite 5, **rue** des Perles.

– Et **le code postal**, s'il vous plaît ?

– 75005.

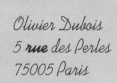

Olivier Dubois
5 **rue** des Perles
75005 Paris

Fiche d'inscription

NOM DE FAMILLE : *DUBOIS*

PRÉNOM : *Olivier*

ADRESSE : *5 rue des Perles*

CODE POSTAL : *75005*

VILLE : *PARIS*

On le dit comme ça

- **J'habite à** + ville
  J'habite à Paris, à Rome, à Tokyo…
- **J'habite au / aux / en** + pays
  *J'habite **au** Japon, **aux** États-Unis, **en** France…*
- Mon **adresse,** c'est…   • Ma **rue,** c'est…
- Ma **ville,** c'est…   • Le **code postal** (de ma ville), c'est…

1 **Remettez le dialogue dans l'ordre.**

– J'habite au Portugal. _____

– Vous habitez où ? __1__

– Non, à Porto. _____

– Dans quelle ville ? À Lisbonne ? _____

52 **2** **Écoutez et complétez.**

1.

Sophie *MARTIN*

25 rue des Dames

75017 PARIS

2.

_____ DUMONT

_____ des Fleurs

31000 TOULOUSE

3.

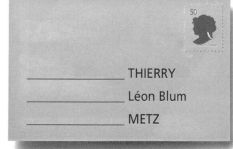

_____ THIERRY

_____ Léon Blum

_____ METZ

4.

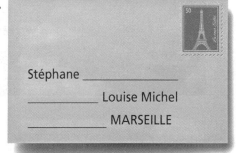

Stéphane _____

_____ Louise Michel

_____ MARSEILLE

3 **Et vous ? Écrivez votre adresse.**

_____

_____

_____

J'habite…

le troisième étage

le deuxième étage

le premier étage

une maison

le rez-de-chaussée   un immeuble

la ville

le village / la campagne

la banlieue

le centre-ville

On le dit comme ça

J'habite une maison, un immeuble…
J'habite **en** ville.
J'habite **à** la campagne.
J'habite **dans** un village.
J'habite **en** centre-ville.
J'habite **en** banlieue.

ACTIVITÉS

4 **Complétez.**

le _____

le premier _____

une _____

5 **Reliez les textes aux photos.**

1. J'habite dans une maison
à deux étages dans la banlieue.   •   • **b.**

2. J'habite dans une maison avec
deux étages dans le centre-ville.   •   • **b.**

3. J'habite dans un immeuble
dans le centre-ville.   •   • **c.**

4. J'habite dans un immeuble en banlieue. •   • **d.**

6 **Et vous ? Vous habitez où ?**

J'habite _____

10 Mon numéro de téléphone et mon email

Le numéro de téléphone

 54

Pouvez-vous me donner votre numéro de **téléphone fixe** s'il vous plaît ?

Et votre numéro de **téléphone portable** ?

Oui, mon numéro est le 04 46 92 17 23.

C'est le 06 07 28 90 99.

55

Je téléphone à Arno. Arno habite Bruxelles, en Belgique.
Je suis à Bruxelles, **je compose** le **02** 78 40 543.
Je suis à Paris, **je compose** le **00 32 2** 78 40 543.

Les indicatifs téléphoniques

indicatif de la ville

☎ **(+32)** 02 78 40 543

indicatif du pays

Ça se passe comme ça

Les indicatifs

Pour appeler en France, on compose le 00 33.
Pour appeler en Belgique, on compose le 00 32.
Pour appeler en Suisse, on compose le 00 41.
Pour appeler au Canada, on compose le 00 1.

56 **1** Écoutez et reliez la personne au numéro de téléphone.

1. Malika •   2. Norbert •   3. Elsa •   4. Simon •

• **a.** 514 424 5738   • **b.** 02 78 50 226   • **c.** 06 29 94 58 90   • **d.** 081 49 56 329

57 **2** Lisez les numéros. Écoutez et cochez la bonne case.

1. 06 33 67 30 08 ☐   **2.** 514 456 2747 ☐   **3.** 02 44 38 28 70 ☐
06 33 67 52 18 ☐   514 456 4987 ☐   02 44 48 38 70 ☐
06 33 67 64 28 ☒   514 456 6896 ☐   02 44 58 48 70 ☐

4. 02 78 50 612 ☐   **5.** 06 63 20 04 56 ☐   **6.** 05 22 42 02 02 ☐
02 78 60 822 ☐   06 63 32 45 02 ☐   05 22 72 02 01 ☐
02 78 70 982 ☐   06 63 45 70 16 ☐   05 22 92 01 02 ☐

3 Recopiez les informations sur le carnet d'adresse.

Laura Rancoule
Architecte
☎ 06 78 90 05 45

R
Nom : *Laura Rancoule*
☎ _____

Jonathan Saforcada
Ingénieur
☎ 01 45 35 78 64

S
Nom : _____
☎ _____

4 Et vous ? Écrivez votre numéro de téléphone.

– Téléphone fixe : ☎ _____
– Téléphone portable : ▯ _____

L'adresse électronique

Tu peux me donner ton adresse mail ?

Oui, c'est samia_92@hotmail.com S-A-M-I-A tiret du bas 9-2 arobase hotmail point com.

Merci, je t'envoie un email !

samia@gmail.com
olivier.dupont@hotmail.fr
elodie46@yahoo.be

point

julien.gonzalo@fle-educ.fr

arobase   *tiret (du haut)*

On le dit comme ça

- une adresse mail, une adresse électronique
- un email, un courriel, un mél,
  un message électronique

@ : arobase
. : point
- : tiret du haut ou du moins
_ : tiret du bas ou underscore

5 **Reliez les signes aux mots.**

–	@	.	__
a. •	b. •	c. •	d. •

• **1.** arobase   • **2.** point   • **3.** tiret du haut   • **4.** tiret du bas

6 **Complétez les dialogues.**

C'est quoi ton *adresse mail* ?

C'est lucas1@hotmail.com

1.

C'est adeline.milano@gmail.com

_____
_____

2.

Pouvez-vous me donner votre email ?

_____
_____

3.

_____
_____

_____
_____

4.

7 **Et vous ? Écrivez votre adresse mail.**

_____

11 Je suis coiffeur

Les professions

 60

Je suis médecin.

Je suis avocate. Et vous ?

Je suis secrétaire. Et vous ?

Je suis facteur. Et vous ?

Je suis pompier.

Je suis infirmière.

Et moi, je suis serveuse.

 61

le professeur

la coiffeuse

le policier

la vendeuse

la pharmacienne

la boulangère

On le dit comme ça

 62

un avocat	une avocate
un facteur	une factrice
un infirmier	une infirmière
un pharmacien	une pharmacienne
un serveur	une serveuse
un secrétaire	une secrétaire

• Je suis… Il/Elle est…
• Mon métier, c'est… / C'est un(e)…

ACTIVITÉS

1 **Regardez et cochez la bonne réponse.**

1. Sébastien est :
☐ facteur.
☒ pompier.
☐ secrétaire.

2. Ayako est :
☐ factrice.
☐ serveuse.
☐ infirmière.

3. Mohammed est :
☐ policier.
☐ pompier.
☐ professeur.

4. Fatimata est :
☐ dentiste.
☐ vendeuse.
☐ professeur.

5. Simon est :
☐ serveur.
☐ infirmier.
☐ boulanger.

6. Isabelle est :
☐ coiffeuse.
☐ infirmière.
☐ pharmacienne.

2 **Écoutez et écrivez le métier :** ~~facteur~~*, infirmière, pompier, professeur, pharmacienne, médecin.*

63

1. Olivier ? il est *facteur*.
2. Camille, c'est une _____ .

3. Aline, elle est _____ .
4. Sylvain ? il est _____ .

5. Élisabeth est _____ .
6. Johann ? Il est _____ .

3 **Écrivez les professions.**

👩	👨
une boulangère	*un boulanger*
_____	un vendeur
une pharmacienne	_____
une factrice	_____
_____	un avocat
une secrétaire	_____

4 **Et vous ? Écrivez votre profession.**

Je suis _____

Je travaille dans…

 64

Isabelle ! Comment vas-tu ?

Bien, merci.
Quel est ton travail ?

Je **travaille dans**
une entreprise
en banlieue.

Bonjour Nicolas !
Je vais très bien et toi ?

Je **travaille dans**
un salon de coiffure
à Nantes. Et toi ?

65

une entreprise

une usine

une école

un hôpital

une banque

une boulangerie

On le dit comme ça

66 Quel travail **faites-vous** ?
Quel est **votre** métier ?
Quelle est **votre** profession ?

Quel est **ton** travail ?
Quel travail **fais-tu** ?

• Le travail, le métier, la profession
Je travaille. ≠ Je ne travaille pas.

ACTIVITÉS

5 Reliez les images aux professions.

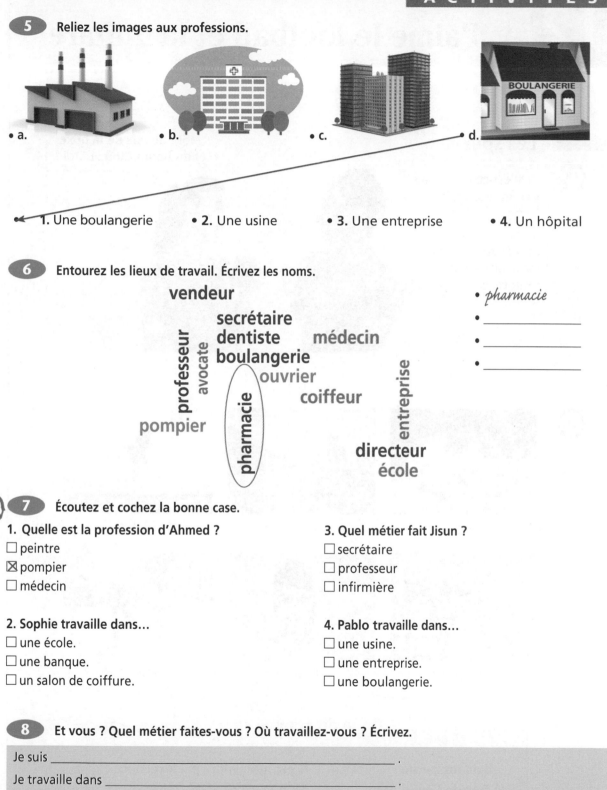

• a.   • b.   • c.   • d.

• **1.** Une boulangerie   • **2.** Une usine   • **3.** Une entreprise   • **4.** Un hôpital

6 Entourez les lieux de travail. Écrivez les noms.

vendeur

secrétaire

dentiste   médecin

professeur avocate boulangerie

ouvrier

pharmacie   coiffeur

pompier

entreprise

directeur

école

• *pharmacie*
• _____
• _____
• _____

7 Écoutez et cochez la bonne case.

1. Quelle est la profession d'Ahmed ?
☐ peintre
☒ pompier
☐ médecin

3. Quel métier fait Jisun ?
☐ secrétaire
☐ professeur
☐ infirmière

2. Sophie travaille dans…
☐ une école.
☐ une banque.
☐ un salon de coiffure.

4. Pablo travaille dans…
☐ une usine.
☐ une entreprise.
☐ une boulangerie.

8 Et vous ? Quel métier faites-vous ? Où travaillez-vous ? Écrivez.

Je suis _____ .

Je travaille dans _____ .

12 J'aime le football et la guitare

Les sports

Qu'est-ce que tu fais comme sport ?

Moi ? **Je fais de la boxe et du badminton** ! Et toi ?

Je fais du volleyball, mais **mon sport préféré**, c'est le yoga !

le karaté

le vélo / le VTT

la danse

l'équitation

la natation

le patinage

_____ On le dit comme ça _____

Je **fais du** karaté.   **C'est** mon sport **préféré**.
Je **fais de l'**équitation.   **Mon sport préféré, c'est…**
Je **fais de la** natation.

ACTIVITÉS

1 Retrouvez les 8 noms dans la grille.

A	T	H	D	A	N	S	E	M	E
V	B	A	D	M	I	N	T	O	N
B	O	N	D	E	J	V	H	P	W
Ç	X	A	P	Q	B	C	G	A	S
X	E	T	I	K	A	R	A	T	E
V	M	A	G	Z	S	H	V	I	D
K	H	T	U	N	H	R	E	N	T
G	E	I	Y	O	G	A	L	A	J
D	C	O	H	L	P	P	O	G	F
J	Z	N	T	X	D	W	C	E	A

~~DANSE~~
BADMINTON
PATINAGE
VÉLO
KARATÉ
YOGA
NATATION
BOXE

2 Observez l'image. Cochez la bonne case.

1. le yoga ☒
la boxe ☐
la natation ☐

2. la danse ☐
l'équitation ☐
le vélo ☐

3. le karaté ☐
le volleyball ☐
le badminton ☐

4. le vélo ☐
la natation ☐
le patinage ☐

70 **3** Écoutez et reliez la personne au sport.

1. Guillaume • ⟍   • **a.** danse
2. Hafsa •   • **b.** football
3. Sérena •   • **c.** yoga
4. Maria •   • **d.** volleyball
5. Ahmed •   ⟍→• **e.** karaté
6. Marième •   • **f.** badminton

4 Et vous ? Écrivez.

Mes sports préférés sont _____

_____

_____

Les loisirs

– Qu'est-ce que **tu aimes faire** ?

– Je chante et je fais du théâtre ! Et toi ?

– Moi, je fais du piano et je fais
de la photographie !
Et **j'aime** les musées !

La musique

la batterie   la guitare   le piano   le chant

Les jeux

un jeu vidéo   des mots croisés   les cartes   un jeu de société

Les autres activités

la photo /   le cinéma   le dessin   la lecture
la photographie

On le dit comme ça

♥ J'**aime** la musique.   ≠   Je **n'aime pas** le chant.

5 Complétez.

```
                              3
                              □
                              □
                              □
              1        2      □
              L        □
    4 □ □ [ ] E [ ] □ □ □
              C        □
              T  5 □ □ □ □ □
              U        □
              R        □
    6 □ □ □ E □
```

6 Écoutez et écrivez l'activité.

1. *le chant*   **3.** _____   **5.** _____

2. _____   **4.** _____   **6.** _____

7 Observez les images et complétez.

1. Il aime les *cartes*.

2. Elle aime la _____.

3. Il aime le _____.

4. Il aime les _____.

5. Elle aime la _____.

6. Ils aiment le _____.

8 Et vous ? Écrivez.

♥ *J'aime la photo.*   ♥ _____.

✘ *Je n'aime pas la lecture.*   ✘ _____.

J'ai un frère

La famille

 76 Je me présente : je m'appelle Léna
et voici ma **famille**.
Dans ma famille, il y a 5 personnes :
mon **père** Laurent,
ma **mère** Marianne. Ils sont **mariés**.
Il y a aussi mon **frère** Damien et
ma **petite sœur** Mila !

moi   mon frère   ma mère   ma petite sœur   mon père

77 Voici la famille de mon père :
mon **grand-père** Simon
et ma **grand-mère** Catherine.
Il y a aussi le frère de mon père ;
c'est mon **oncle**. Il s'appelle Léon.
Mon oncle n'est pas marié,
il est **célibataire**.

 78 Mes **grands-parents** Catherine
et Simon ont deux **enfants** :
mon père Laurent et mon oncle Léon.
Mes **parents**, Laurent et Marianne,
ont trois **enfants** : mon frère,
ma sœur et moi !

ma grand-mère   mon grand-père   mon oncle

On le dit comme ça

La famille
le père
la mère   } les parents
le frère
la sœur   } les enfants
le grand-père
la grand-mère   } les grands-parents
l'oncle / la tante

marié(e) ≠ célibataire

ACTIVITÉS

79 **1** **Écoutez et cochez la bonne case.**

	Vrai	Faux
1. Léna a deux enfants.	☐	☒
2. Léna a un grand frère.	☐	☐
3. Léna a une petite sœur.	☐	☐
4. Léna a un frère et une sœur.	☐	☐
5. Le père et la mère de Léna sont célibataires.	☐	☐
6. L'oncle de Léna est célibataire.	☐	☐
7. Les grands-parents de Léna ont 3 enfants.	☐	☐
8. Les parents de Léna ont 3 enfants.	☐	☐

2 **Écrivez le mot féminin, comme dans l'exemple.**

1. le père → la *mère*   2. le frère → la _____

3. le grand-père → la _____

3 **Écrivez le mot au pluriel, comme dans l'exemple.**

1. Le père + la mère = *les parents*

2. Le grand-père + la grand-mère = les _____

3. Le frère + la sœur = les _____

4 **Observez la photo et complétez.**

ARIANE
SIMON
RICHARD
MADELEINE
JULES et MARIE

Dans cette famille, il y a 6 personnes.

Simon et Ariane sont _____

Jules et Marie sont _____

Richard et Madeleine sont _____

_____

_____

Le mariage

Voici une photo du **mariage** de mes parents : **papa** est **le mari** de **maman** et **maman** est **la femme** de **papa**. Ils sont **un couple.**

La date de naissance

Je suis née le 18 mai 2007.
Le 18 mai 2007, c'est **ma date de naissance.**
Je suis **la fille** de mon père et de ma mère.

Les mois de l'année
janvier, février, mars, avril, mai, juin, juillet, août, septembre, octobre, novembre, décembre

On le dit comme ça

le mari ≠ la femme
le fils ≠ la fille

Je suis né(e) le …
Ma date de naissance, c'est le …

 Donner une date
Le 18 mai 2007 ou le 18/05/07.
Le 14 janvier 1984 ou le 14/01/1984.

5 Regardez la photo, et corrigez les erreurs.

BENOÎT ET ANNE

PIERRE et JEANNE

1. Anne et Benoît sont ~~célibataires~~. mariés

2. Pierre et Anne sont un couple.

_____

3. Anne est le mari de Benoît.

_____

4. Pierre est la femme de Jeanne.

_____

6 Complétez le texte avec les mots suivants : *enfants – femme – fils – couple – ~~mariage~~ – filles – mari.*

C'est la photo du *mariage* de mes parents. Maman est la _____ de papa et papa est le

_____ de maman. Ils sont un _____

Papa et maman ont trois _____ : deux _____ Natacha et Marine et un

_____ , moi : Anthony.

84 **7** Écoutez et complétez.

1. Anne est née le 3 *novembre.*

2. Benoît est né le 22 _____ .

3. Jeanne est née le 19 _____ .

4. Sonia est née le 6 _____ .

5. Simon est né le 30 _____ .

6. Ariane est née le 17 _____ .

7. Richard est né le 24 _____ .

8. Gabin est né le 12 _____ .

9. Alix est né le 7 _____ .

8 Et vous ? Présentez votre famille.

_____

B I L A N   N ° I

1 Complétez avec les mots suivants : *le père – la grand-mère – le frère.*

la _____

le grand-père

le _____

le _____

la mère

le fils

2 Présentez Marina.

1. Elle s'appelle •
2. Elle est née le •
3. Elle est •
4. Elle vient de •
5. Elle a •
6. Elle habite à •

• **a.** 18 ans.
• **b.** Marina.
• **c.** Tours.
• **d.** allemande.
• **e.** Berlin.
• **f.** 5 juin 1997.

3 Lisez les informations. Présentez les personnes suivantes.

	1.	2.	3.
Nom	CONSTANTINOU	FANG	KOVACS
Prénom	Alexandros	Mei et Liam	Erika
Âge	25 ans	35 et 40 ans	30 ans
Nationalité	Grec	Chinois	Hongroise
Pays	Grèce	Chine	Hongrie
Ville	Athènes	Pékin	Budapest
Profession	Étudiant	Boulanger	Coiffeuse

1. Il s'appelle *Alexandros Constantinou*. Il a _____. Il est _____.
   Il vient de _____. Il habite à _____. Il est _____.
2. Ils s'appellent _____. Ils ont _____.
   Ils sont _____. Ils viennent de _____.
   Ils habitent à _____. Ils sont _____.
3. Elle s'appelle _____
   _____
   _____

4 Présentez votre famille comme dans l'exercice 3.

Je m'appelle _____

Mon père s'appelle _____

85 **5** Écoutez et cochez la bonne case.

	Date de naissance	Numéro de téléphone	Prénom	Nom de famille	Adresse	Âge	Email
1			X				
2							
3							
4							
5							
6							
7							

86 **6** Écoutez et complétez.

A

NOM : _____

Prénom : Pauline

Date de naissance : _____ 1990

Adresse : ___, _____ des professionnels – Paris

B

NOM et prénom : _____ Sophie

Âge : _____

email : _____ hotmail.fr

Numéro de téléphone : 06 79 72 63 28

7 Complétez avec vos informations personnelles. Écrivez un texte pour vous présenter.

NOM : _____

Prénom : _____

Date de naissance : _____

Âge : _____

Adresse : _____

Numéro de téléphone : _____

email : _____

Je m'appelle _____

_____

_____

_____

_____

_____

_____

_____

8 Complétez la lettre d'Élodie.

Bonjour,

Je m'appelle Élodie Milou. J'habite en centre-ville dans une petite _____ .

J'aime la _____ et le _____. Je regarde la _____

et j'aime la _____. Je fais de la musique : du _____

et de la _____ . Et toi ?

À bientôt,

Élodie

14 1 kilo d'oranges, s'il vous plaît !

Les fruits

87

du raisin blanc

des ananas

un pamplemousse

des cerises

des abricots

des pommes

du raisin noir

des bananes

des oranges

des kiwis

Les légumes

88

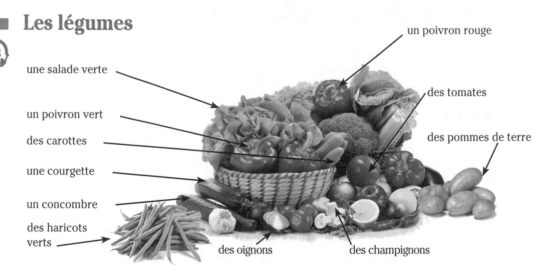

une salade verte

un poivron vert

des carottes

une courgette

un concombre

des haricots verts

des oignons

des champignons

un poivron rouge

des tomates

des pommes de terre

On le dit comme ça

89

On fait une liaison entre le « s » final et la voyelle du mot suivant [z].

Des_oranges   **Des_oignons**

Des_ananas   **Des_aubergines**

⚠ **oignon** se prononce [**onion**]

1 Reliez les images aux mots.

1. une salade
2. des tomates
3. du raisin
4. des cerises
5. des oignons
6. une orange

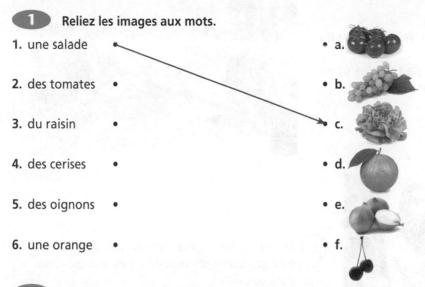

• a.
• b.
• c.
• d.
• e.
• f.

2 Complétez le nom des fruits et des légumes.

1. des *courgettes* 2. un p_____ 3. des c_____ 4. une p_____ 5. des p_____

3 a. Écrivez le nom des fruits et des légumes.

b. Retrouvez les noms dans la grille.

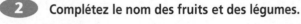

carotte

_____   _____

_____   _____ verts

_____

O R A N G E X A N K
I W D M S R C N D D
Y S H A R I C O T S
C O N C O M B R E A
Z C A R O T T E E J
C X G T S A L A D E
C H A M P I G N O N
T U S T O M A T E N

90 **4** Écoutez le message. Entourez les fruits et les légumes que vous entendez.

carottes   concombre   pommes de terre   pommes   oignons

Le marché

91 Bonjour madame, **je voudrais 1 kilo de** pommes de terre, **une** salade verte, **300 grammes de** carottes et **un** poivron vert, s'il vous plaît.

92 Je voudrais **500 grammes d'**oignons, **500 grammes de** tomates, **des** fraises et **un** concombre.

93 – **Ce sera tout,** madame ?
– Oui, **je vous dois** combien ?
– 20 euros, s'il vous plaît.
– Voilà ! Au revoir !
– Merci, au revoir madame.

On le dit comme ça

Les quantités
1 kg : 1 kilo, 1 kilogramme = 1000 grammes
500 g : 500 grammes
Un demi-kilo : ½ **kg** = 500 g

de + consonne   **d' + voyelle**
1 kg de pommes de terre   **500 g d'**oignons
300 g de carottes

Les nasales [in] [an] et [on] **94**
Le son [in] : rais**in**
Le son [an] : or**an**ge / ch**am**pignon
Le son [on] : cit**ron** / poiv**ron** / champign**on** / oign**on**

95 **5** **Écoutez et complétez.**

1. *1 kilo de* pommes.
2. _____ poivron vert et _____ poivrons rouges.
3. _____ de tomates.
4. _____ ananas.
5. _____ de champignons.
6. _____ des petits pois.

96 **6** **Écoutez et complétez.**

1. S'il vous plaît, le kilo de pêches, *c'est combien* ?
2. _____ combien ?
3. _____ monsieur, s'il vous plaît !
4. _____ 600 grammes de bananes, s'il vous plaît.

97 **7** **Écoutez et complétez avec « de » ou « d' » et le nom des fruits ou des légumes.**

1. Je voudrais 450 grammes *d'abricots*

2. Je voudrais 1 kilo _____, s'il vous plaît.

3. J'aimerais 600 grammes _____ et 1 demi-kilo _____ s'il vous plaît !

98 **8** **Mettez le dialogue dans l'ordre. Écoutez pour vérifier.**

– Ça fait 5,60 euros, s'il vous plaît. _____
– Ce sera tout ? _____
– Merci madame, au revoir ! _____
– Bonjour, je voudrais 2 kilos d'oranges s'il vous plaît. _1_
– Non, je voudrais aussi 500 grammes de haricots verts. _____
– Oui, je vous dois combien ? _____
– Voilà les haricots verts et les oranges. Ce sera tout, madame ? _____
– Voilà monsieur. _____

9 **À l'aide de la recette de la ratatouille, imaginez le dialogue au marché.**

Pour 4 personnes
• 2 courgettes
• 1 aubergine
• 1 poivron vert et 1 rouge
• 3 tomates
• 1 oignon

– Bonjour madame, je voudrais _____
– _____
– _____
– _____

15 Au supermarché

La boucherie

 99 Au rayon boucherie, on trouve de la **viande**.

un rôti

de la viande hachée

des steaks hachés

des saucisses

un bifteck (un steak)

un poulet

un veau un porc un poulet (la volaille) un bœuf

La poissonnerie

 100 Au rayon poissonnerie, on trouve du **poisson** et des **fruits de mer**.

un filet de poisson une moule une huître une crevette

Le rayon des surgelés

101 Au rayon des surgelés, on trouve :
– du poisson ; – des plats préparés ;
– de la viande ; – des desserts glacés.
– des légumes ;

1 Reliez les mots aux images.

1. de la viande hachée •

2. des saucisses •

3. du bifteck •

4. un rôti •

5. un poulet •

• a.

• b.

• c.

• d.

• e.

2 Cochez la bonne case.

	Poisson / Fruit de mer	Viande
1. Moule	X	
2. Bifteck		
3. Poulet		
4. Huître		
5. Crevette		
6. Saucisse		

3 Complétez avec les mots suivants : crevette, huître, poulet, rôti de bœuf, filet de poisson, saucisse, bifteck, moule, viande hachée.

Boucherie	Poissonnerie
_____	*crevette*
_____	_____
_____	_____
_____	_____
_____	

102 **4** Cochez la bonne case. Écoutez pour vérifier.

1. Vous aimez les fruits de mer ?

Oui, j'aime les moules. ☐

Oui, j'aime les saucisses. ☐

2. Vous mangez de la volaille ?

Oui, je mange du poisson. ☐

Oui, je mange du poulet. ☐

3. Vous voulez de la viande ?

Oui, un bifteck, s'il vous plaît ! ☐

Oui, des huîtres, s'il vous plaît ! ☐

4. Vous aimez la viande ?

Oui, j'aime le rôti. ☐

Oui, j'aime les crevettes. ☐

Les produits laitiers

103

du gruyère

un fromage
de chèvre

un camembert

Les fromages

le lait /
une bouteille de lait

le beurre

la crème fraîche /
un pot de crème fraîche

un yaourt

des œufs /
une douzaine d'œufs

L'épicerie

104

du riz

des pâtes

de la farine

du sucre en morceaux

du sucre en poudre

du sel et du poivre

de l'huile et du vinaigre

de la sauce tomate

de la moutarde, du ketchup,
de la mayonnaise

5   Observez et cochez la bonne case.

1. Du riz ☐
Du beurre ☐
Du fromage ☐

3. Un œuf ☐
Un sucre ☐
Un yaourt ☐

2. Du sel ☒
Du sucre ☐
De la farine ☐

4. Une bouteille de lait ☐
Une bouteille d'huile ☐
Une bouteille de vinaigre ☐

6   Rayez l'intrus.

1. œuf – yaourt – ~~riz~~ – beurre

2. sucre – beurre – yaourt – œufs

3. gruyère – farine – pâtes – semoule

4. yaourt – riz – huile – sucre

5. lait – poivre – vinaigre – sauce tomate

7   Cochez la bonne case.

	Vrai	Faux
1. Le camembert est un fromage.	☒	☐
2. Le poivre est un fromage.	☐	☐
3. L'huile est un produit laitier.	☐	☐
4. La sauce tomate est au rayon épicerie.	☐	☐
5. On trouve la farine et le sucre au rayon épicerie.	☐	☐

8   Complétez la grille.

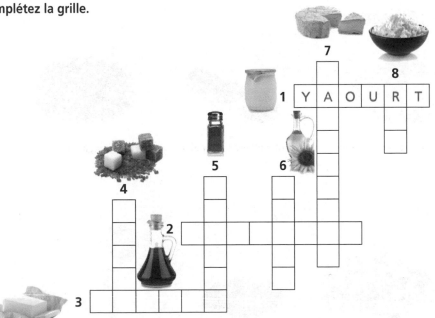

16 Un croissant, s'il vous plaît !

Du pain

105

une baguette

un pain

un pain de campagne

un pain de mie

Des viennoiseries

106

un croissant

un pain au chocolat

un pain aux raisins

un chausson
aux pommes

Des pâtisseries

107

une tarte aux pommes

un éclair au chocolat

un gâteau

Et aussi…

108

des bonbons

des chocolats

une glace

ACTIVITÉS

1 **Reliez les mots aux images.**

1. Une baguette

2. Une tarte aux pommes •

3. Un pain de mie •

4. Un éclair •

5. Un croissant •

6. Une glace •

• a.

• b.

• c.

• d.

• e.

• f.

2 **Cochez la bonne case.**

	Pain	Viennoiserie	Pâtisserie
1. Le pain au chocolat		X	
2. L'éclair au chocolat			
3. Le croissant			
4. Le pain de campagne			
5. La tarte aux pommes			
6. Le chausson aux pommes			

3 **Écoutez et complétez.**

109

1. Lucile, tu veux un *croissant* ?

2. Benjamin, tu peux acheter une _____ tradition à la boulangerie ?

3. Prends du _____ à la boulangerie, s'il te plaît.

4. J'adore les _____ !

5. Mon dessert préféré ? C'est la _____ !

6. Vous préférez un pain au _____ ou un _____ ?

4 **Et vous ? Écrivez**

1. Mon pain préféré est _____

2. Ma viennoiserie préférée est _____

3. Ma pâtisserie préférée est _____

À la boulangerie

 – Bonjour monsieur ! **Vous désirez** ?
– Bonjour madame ! **Je voudrais** une baguette, s'il vous plaît.
– Il vous faut autre chose ?
– Oui, un pain de campagne **tranché** et **une part de** tarte aux pommes.
– Ce sera tout ?
– Oui, merci.
– Ça fait 4,70 euros, s'il vous plaît.
– Tenez.
– Merci monsieur, voilà pour vous ! Au revoir !

tranché / en tranches

une part de …

On le dit comme ça

L'intonation 111

- Vous désirez ?
- Qu'est-ce que vous désirez ?
- Que voulez-vous ?
- Qu'est-ce qu'il vous faut ?

- Ce sera tout ?
- Il vous faut autre chose ?
- Voulez-vous autre chose ?
- Désirez-vous un autre article ?

112 **5** **Écoutez et cochez la bonne case.**

1. Qu'est-ce que veut Paul ?

un croissant ☐

un pain au chocolat ☒

une tarte aux pommes ☐

2. Qu'est-ce que veut Elias ?

une tarte aux pommes ☐

un éclair au chocolat ☐

un chausson aux pommes ☐

3. Qu'est-ce que veut Liu ?

une baguette ☐

un pain de mie ☐

un pain de campagne ☐

4. Qu'est-ce que veut la dame ?

un croissant ☐

un pain au chocolat ☐

un pain de campagne ☐

113 **6** **Mettez le dialogue dans l'ordre. Écoutez pour vérifier.**

– Il vous faut autre chose ? _____

– Un pain, s'il vous plaît. _____

– Bonjour madame ! _1_

– Tenez. _____

– Oui, un croissant et une part de tarte. _____

– Merci monsieur, bonne journée ! _____

– Ça fait 5,50 €, s'il vous plaît. _____

– Bonjour monsieur, qu'est-ce vous désirez ? _____

7 **Imaginez et écrivez les questions.**

1. La boulangère : *Vous désirez* ?

Le client : Une baguette, s'il vous plaît !

2. La boulangère : _____ ?

Le client : Oui, je voudrais aussi un pain au chocolat.

3. La boulangère : _____ ?

Le client : Oui, merci.

8 **Imaginez et écrivez les réponses.**

1. La boulangère : Bonjour, que désirez-vous ?

Le client : *Un pain, s'il vous plaît.*

2. La boulangère : Vous désirez autre chose ?

Le client : _____.

3. La boulangère : Ce sera tout ?

Le client : _____.

17 À table !

Les couverts

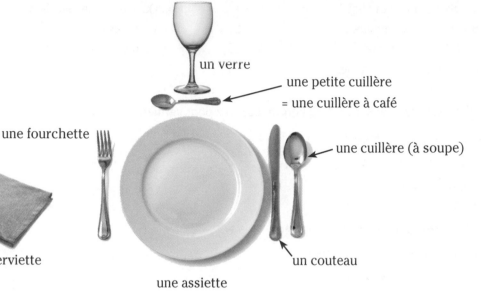

un verre

une petite cuillère
= une cuillère à café

une fourchette

une cuillère (à soupe)

une serviette

un couteau

une assiette

Les repas

En France, on prend :
– le petit-déjeuner, le matin ;
– le déjeuner, à midi ;
– le dîner, le soir.

En Belgique et au Canada, on prend :
– le déjeuner, le matin ;
– le dîner, à midi ;
– le souper, le soir.

Ça se passe comme ça

Le petit-déjeuner « français »

On boit du café, du thé, du chocolat chaud et / ou du jus de fruits. On mange des tartines avec du beurre et de la confiture. Parfois, on mange des croissants.

1 Complétez.

_____

la fourchette _____

_____

_____

_____

_____

2 Observez l'image et mettez les éléments à la bonne place.

3 Cochez la bonne case.

	Vrai	Faux
1. En France, on mange le petit-déjeuner à midi.	☐	☒
2. Au Canada, le repas du soir est le souper.	☐	☐
3. En Belgique, le repas du matin est le petit-déjeuner.	☐	☐
4. En France, on dîne le soir.	☐	☐
5. Au Canada, on dîne à midi.	☐	☐
6. En Belgique, le repas du soir est le dîner.	☐	☐

4 Rayez l'intrus.

En France, au petit-déjeuner :

1. on boit *des croissants / du thé / un jus de fruit.*

2. on mange *du café / des tartines / de la confiture.*

5 Et vous ? Écrivez.

Pour le petit-déjeuner je mange _____

et je bois _____

18 Au restaurant

Le menu

– Bonjour !
– Bonjour madame ! **C'est pour déjeuner ou pour boire un verre** ?
– Pour déjeuner, s'il vous plaît !
– Je vous apporte **la carte.**
– Merci !
– Voici **le menu.** Il y a aussi **un plat du jour** : c'est du poulet aux olives.

Commander

– Vous avez choisi ?
– Oui, je prends **une formule**.
– Plat-dessert ?
– Non, entrée-plat.
– Très bien. **Qu'est-ce que vous prenez en entrée** ?
– Une salade de tomates. Et **comme plat**, le filet de poisson avec du riz.
– Parfait. **Qu'est-ce que vous voulez boire** ?
– **Un verre de vin** blanc, et **de l'eau**.
– De l'eau **gazeuse** ?
– Non, de l'eau **plate**.

Entrées
Salade de tomates
Assiette de saumon fumé

Plats
Filet de poisson et riz
Poulet et frites

Desserts
Mousse au chocolat
Crème brûlée

un menu

Nos formules

entrée + plat : 15 €

plat + dessert : 15 €

entrée + plat + dessert : 17 €

On le dit comme ça

- Vous avez choisi ? Vous avez fait votre choix ?
- Qu'est-ce que vous prenez en entrée ?
  Et comme plat ?
- Vous prenez un dessert ? Vous souhaitez un dessert ?
→ Je vais prendre une formule, un plat du jour…
→ Je prends un plat du jour.

1 Cochez la bonne case.

	Entrée	Plat	Dessert
1. une crème brûlée			X
2. un poulet au citron			
3. un gâteau au chocolat			
4. du saumon fumé			
5. une salade de tomates			
6. un filet de poisson			

2 Complétez la carte avec les mots manquants.

Notre carte

Formule : entrée + plat ou plat + dessert

Plat du _____ : bifteck-frites

_____ du jour : carottes râpées + rôti de veau et pommes de terre + mousse au chocolat.

3 Mettez le dialogue dans l'ordre. Écoutez pour vérifier.

– Non merci, je ne mange pas de viande.   ____

– Vous avez fait votre choix ?   _1_

– Très bien. Du poisson alors.   ____

– C'est du bœuf bourguignon.   ____

– Nous avons un très bon gratin de poisson.   ____

– Non, pas encore. Quel est le plat du jour ?   ____

4 Écoutez et complétez.

– Bonjour Monsieur !

– Bonjour !

– C'est pour *dîner* ou pour boire un _____ , s'il vous plaît ?

– Pour dîner !

– Très bien, je vous apporte la _____ .

– Merci !

– Voilà la carte. Il y a aussi un _____ du jour : poulet-haricots verts.

– Très bien. Je vais prendre le plat du _____ !

5 Classez les plats suivants : *steak-frites, mousse au chocolat, saumon fumé, salade de tomates, filet de poisson, carottes râpées, rôti de veau et pommes de terre, tarte aux fruits rouges, salade de fruits.*

• Entrées : _____

• Plats : _____

• Desserts : _____

Réserver une table

– Restaurant *Beau Rivage*, bonjour !
– Bonjour, je souhaite **réserver une table**
  pour ce soir.
– Oui, pour combien de personnes ?
– Pour deux personnes.
– Nous avons une table **disponible** à 21 h.
– Parfait !
– **C'est à quel nom ?**
– Letourneau.

L'addition, s'il vous plaît !

– Tout va bien, monsieur ?
– Oui, merci. **C'est délicieux.**
– **Souhaitez-vous un dessert ?**
– Non, merci. **Un café et l'addition**,
  s'il vous plaît.
– Très bien.

On le dit comme ça

C'est bon. ☺
C'est délicieux ☺☺
C'est mauvais. ☹

Ça se passe comme ça

Le pourboire

« – *Tu laisses un pourboire ?*

   – *Oui, je mets 2 euros pour le serveur.* »

Un pourboire, c'est de l'argent pour
remercier le serveur.

En France, parfois, on laisse
un pourboire, mais ce n'est pas
obligatoire.

6 **Complétez le dialogue.**

– Restaurant *La Bonne Table*, bonjour.

– Bonjour monsieur. Je voudrais *réserver une table* pour ce soir.

– Oui, pour combien de personnes ?

– _____ .

– Nous avons une table _____ pour 20 h 30.

– C'est parfait !

– _____ ?

– Durand.

– Très bien Monsieur Durand, votre table est réservée pour 20 h 30. À ce soir !

– Merci, à ce soir !

7 **Écoutez les situations. Reliez les situations aux photos.**

1. Situation A •

• **a.**

2. Situation B •

• **b.**

3. Situation C •

• **c.**

4. Situation D •

• **d.**

19 Bon appétit !

Quelques plats français

la blanquette de veau

la soupe à l'oignon

le cassoulet

la choucroute

le foie gras

les escargots

la fondue savoyarde

le bœuf bourguignon

la quiche lorraine

Des plats sénégalais, marocain, antillais

le poulet yassa

le couscous

le boudin antillais

Ça se passe comme ça

À table, on peut boire de l'eau plate, de l'eau gazeuse ou du vin.
Il existe du vin rouge, rosé ou blanc.
Le champagne est un vin pétillant.

1 Observez et cochez la bonne case.

1.

la fondue savoyarde	☒
la quiche lorraine	☐
la choucroute	☐

2.

le cassoulet	☐
la soupe à l'oignon	☐
la blanquette de veau	☐

3.

les huîtres	☐
le foie gras	☐
les escargots	☐

(125) **2** Écoutez et associez les images aux personnes.

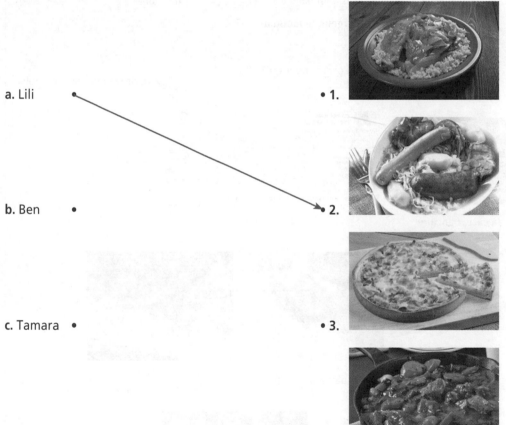

a. Lili

• 1.

b. Ben

• 2.

c. Tamara

• 3.

d. Mous

• 4.

(126) **3** Écoutez et écrivez ce que chaque personne boit.

1. Lili → *un verre de vin blanc*   **3.** Ben → _____

2. Tamara → _____   **4.** Mous → _____

20 Je peux payer par carte ?

Les moyens de paiement

une pièce

un billet   des euros

l'argent, la monnaie

écrire l'ordre (pour qui)

écrire le montant (combien)

écrire la date

signer

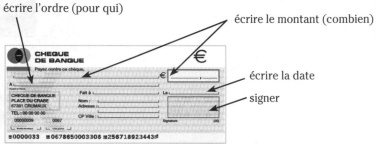

la carte bancaire   le chèque

payer en liquide

payer par carte

payer par chèque
= faire un chèque

retirer de l'argent au distributeur
= prendre de l'argent au distributeur

taper son code secret /
personnel

1 Reliez les noms aux images.

1. un chèque •

2. une carte bancaire •

3. une pièce •

4. un billet •

• a.

• b.

• c.

• d.

128 **2** Écoutez et écrivez la lettre du texte sous l'image.

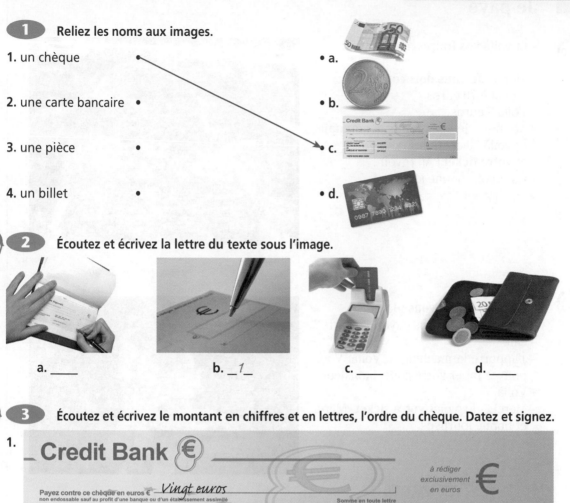

a. ____   b. _1_   c. ____   d. ____

129 **3** Écoutez et écrivez le montant en chiffres et en lettres, l'ordre du chèque. Datez et signez.

1.

Credit Bank

Payez contre ce chèque en euros € *Vingt euros*
non endossable sauf au profit d'une banque ou d'un établissement assimilé
Somme en toute lettre

à *Anna MORIN*

Payable en France
CREDIT BANK   SOCIÉTÉ
TEL 99-99-99-99-99
75   ADRESSE
CHÈQUE N° 99999999   CP VILLE

14578 52545 8965 32322

à rédiger
exclusivement
en euros €

€ *20*

A *Lille*
LE *15 janvier 2015*

Signature

(32)

2.

Credit Bank

Payez contre ce chèque en euros €
non endossable sauf au profit d'une banque ou d'un établissement assimilé
Somme en toute lettre

à

Payable en France
CREDIT BANK   SOCIÉTÉ
TEL 99-99-99-99-99
75   ADRESSE
CHÈQUE N° 99999999   CP VILLE

14578 52545 8965 32322

à rédiger
exclusivement
en euros €

€

A
LE

Signature

(32)

Je paye

– Et voilà vos fraises, monsieur !
Tenez.
– Merci ! **Je vous dois combien** ?
– Ça fait 4,70 euros.
– Voilà 5 euros.
– Attendez, **je vous rends la monnaie**.
Et voilà 30 centimes pour vous,
et **votre ticket** ! Au revoir !
– Au revoir, bonne journée !

– **L'addition, s'il vous plaît** !
– Oui monsieur. Vous payez par carte ?
– Oui.
– J'apporte la machine…. Voilà. Vous
pouvez taper votre code, monsieur.
– Voilà.
– Merci… Et voici **votre ticket**. Merci
et bonne journée !

un ticket = une facture

On le dit comme ça

Je vous dois combien ?

= Combien ça coûte ?

= C'est combien ?

= Ça fait combien ?

= Combien coûte… ?

Rendre la monnaie

(132) **4** **Écoutez et écrivez les prix en chiffres.**

1. – C'est combien les courgettes ?
 – *1,60 €*, madame.

2. – Je vous dois combien ?
 – _____ , s'il vous plaît.

3. – Combien coûte cette formule, s'il vous plaît ?
 – C'est _____ .

4. – Bonjour, ça coûte combien les abricots ?
 – C'est _____ le kilo.

5. – Le café, c'est combien ?
 – _____ .

6. – Je vous dois combien pour le menu ?
 – _____ , s'il vous plaît.

(133) **5** **Mettez le dialogue dans l'ordre. Écoutez pour vérifier.**

– Oui, nous prenons les chèques à partir de 15 euros. ____

– Monsieur, l'addition, s'il vous plaît ! _1_

– Merci madame, bonne journée ! ____

– Oui madame, voilà l'addition. Ça fait 19 euros. ____

– Je peux payer par chèque ? ____

– D'accord, voilà votre chèque. ____

(134) **6** **Écrivez les questions. Écoutez pour vérifier.**

1. **Client :** *Je vous dois combien* ?
 Vendeur : Ça fera 10,10 euros au total, s'il vous plaît.

2. **Cliente :** _____ ?
 Serveur : Non, désolé madame. Nous prenons la carte à partir de 15 euros.

3. **Client :** _____ ?
 Serveuse : Oui, voilà l'addition, monsieur.

4. **Cliente :** _____ ?
 Serveur : Non désolé madame, nous ne prenons pas les chèques.

7 **Cochez la bonne case.**

	Client	Vendeur
1. L'addition, s'il vous plaît !	X	
2. Je vous dois combien ?		
3. Ça fait 4,30 €.		
4. Voilà votre ticket !		
5. Vous prenez la carte ?		
6. Je vous rends la monnaie.		

21 Où est la gare ?

Se déplacer

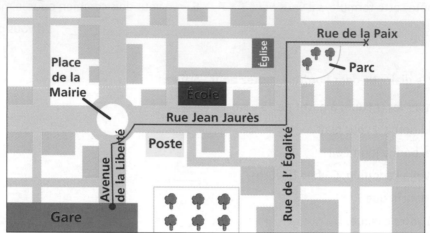

135

A :	Amis	
Cc :		Afficher Cci
Sujet :	Adresse	Priorité : ▾

Chers amis,

J'habite 15 rue de la Paix. Devant la gare, vous marchez tout droit dans l'avenue de la Liberté. Après la place de la Mairie, vous tournez à droite dans la rue Jean-Jaurès, vous passez devant la poste puis devant l'école. Vous tournez à gauche dans la rue de l'Égalité. Vous passez devant l'église et le parc. Vous tournez à droite dans la rue de la Paix. Voilà, j'habite au numéro 15 !

À bientôt !
Léa

On le dit comme ça

Vous tournez…
à droite. ↱   à gauche. ↰
Vous allez tout droit. →

Vous traversez 🚶
la rue.   le boulevard.
l'avenue.   la place.

Vous passez devant / derrière.

1   **Lisez le message de Romain. Dessinez le chemin sur le plan.**

Tu marches tout droit dans la rue de l'Église. Puis
tu tournes à droite, tu passes devant la poste et tu
tournes à gauche dans la rue des Écoles. J'habite au
numéro 13 de la rue des Écoles.

Bisous !

Romain

2   **Regardez le plan et complétez le message.**

Chers amis,

À la gare, vous tournez _____ ,

puis vous _____

_____

_____

_____

_____

Voilà, c'est chez moi !

Jérôme

3   **Quel est le bon plan ?**

Vous marchez tout droit devant l'école, puis vous tournez à
gauche dans la rue des Amis. Vous passez devant l'église.
Vous tournez à gauche dans la rue de la Révolution.
J'habite au numéro 7.

Le bon plan est le plan n° _____ .

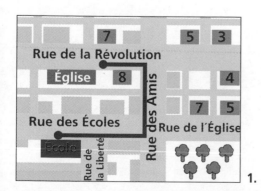

1.

3.

Se repérer

 137 La Bretagne est à l'Ouest de la France.
J'habite dans le Nord-est de la France.

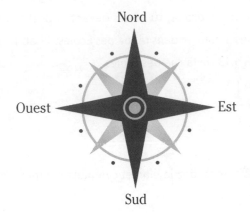

le Nord	→	au Nord
le Sud	→	au Sud
l'Est	→	à l'Est
l'Ouest	→	à l'Ouest

 138 – La gare est loin du centre-ville ?

– Oui, la gare est **loin** du centre-ville. Non, la gare n'est pas loin. La gare est **près** du centre-ville.

 139 – Excusez-moi, **je suis perdu**. Où se **trouve** la gare, s'il vous plaît ?

– La gare se trouve **là-bas**, **devant** le cinéma.

– Ah oui, merci, je vois !

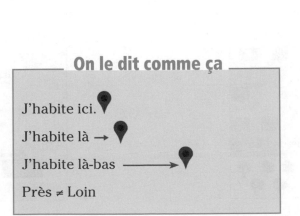

140 – Excusez-moi, **je cherche** la gare.

– La gare se trouve juste **là**, à côté du cinéma.

– Ah oui, merci, je vois !

On le dit comme ça

J'habite ici.
J'habite là →
J'habite là-bas ——→
Près ≠ Loin

141 **4** **Écoutez et complétez.**

– Bonjour, je suis *perdu*. Où se trouve _____ , s'il vous plaît ?

– Vous marchez _____ dans l'_____ de la Gare. Vous _____ à gauche _____ le cinéma. À côté de l'école, il y a la poste.

– C'est _____ ?

– Non, c'est très près !

– Merci beaucoup !

5 **Regardez le dessin et choisissez la bonne réponse.**

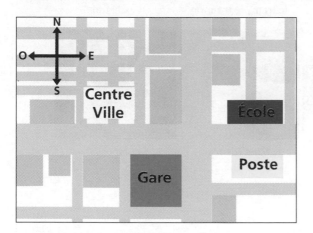

1. La gare est *près* / *loin* du centre-ville.

2. La gare est *au Nord* / *au Sud* de la ville.

3. La poste est *à droite* / *à gauche* de la gare.

4. *Devant* / *à côté de* la poste, il y a l'école.

6 **Complétez la conversation.**

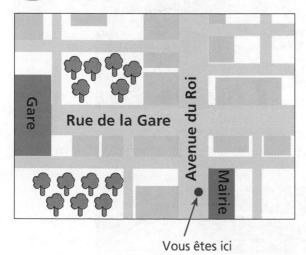

Vous êtes ici

– Excusez-moi, je suis perdu, je cherche la gare...

– C'est facile, ici c'est la Mairie. Pour aller à la gare, vous _____

_____

_____

_____

Bus, métro, tramway

Les transports en commun

le bus / l'autobus

le métro

le tram / le tramway

le train

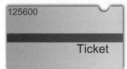
le ticket
(de bus, de métro)

la carte
d'abonnement

le billet (de train)

composter

Les lieux

l'arrêt (de bus)

la station (de métro)

la gare (ferroviaire)

la voie (où le train arrive) / le quai

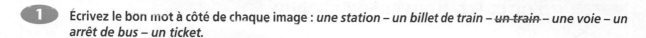

ACTIVITÉS

1 Écrivez le bon mot à côté de chaque image : *une station – un billet de train – un train – une voie – un arrêt de bus – un ticket.*

1. *un train*

4. _____

2. _____

5. _____

3. _____

6. _____

144 **2** Écoutez et complétez.

1. Mesdames, messieurs, la *station* Opéra est fermée.

2. Dans le bus prenez votre carte _____ .

3. Le _____ entre en _____ , _____ 17.

145 **3** Écoutez et écrivez le numéro du message sous la bonne image.

a. Message _____

b. Message __*1*__

c. Message _____

4 Et vous ? Répondez.

1. Quels transports en commun vous utilisez ? *J'utilise* _____

2. Quel est votre moyen de transport préféré ? _____

3. Est-ce que dans votre ville il y a un métro ? Des bus ? Des tramways ? _____

4. Comment est-ce que vous allez au travail / à l'université ? _____

5. Est-ce que vous avez un abonnement de bus ou de métro ? _____

S'orienter, trouver son chemin

 en direction de

en provenance de

la direction

la ligne de métro / de bus / de train

la sortie

la correspondance, le changement

Se déplacer

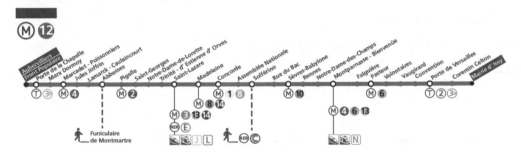

 À la station Marx Dormoy.

– Bonjour, excusez-moi, je voudrais aller à la gare Montparnasse.

– Pour Montparnasse, c'est **direct**. **Vous prenez** la ligne 12, **direction** Mairie d'Issy. Vous descendez à la station Montparnasse-Bienvenue. Vous prenez la sortie 3.

 – Bonjour, excusez-moi, je voudrais aller à la gare de Lyon.

– Alors, vous prenez la ligne 12 jusqu'à la station Saint-Lazare. À Saint-Lazare, **vous changez** : vous prenez la ligne 14, direction Olympiades.

– Il n'y a pas de **trajet direct** ?

– En métro, non. Mais vous pouvez prendre le bus numéro 65. C'est direct !

– Merci bien !

 ⚠ Le « t » de direction se prononce [s] : la station, la direction

5 Observez le plan du métro et répondez.

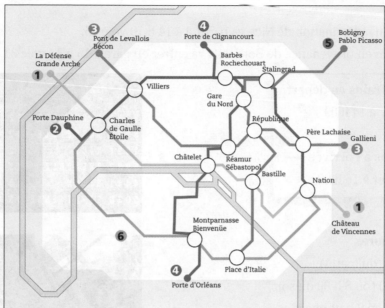

1. Vous êtes à la station porte d'Orléans, vous allez à Château de Vincennes. À quelle station vous faites le changement ? *Châtelet*

2. Votre ami est à Charles de Gaulle Étoile. Vous avez rendez-vous à la station Villiers. Quelle ligne votre ami doit prendre ? _____

3. Vous êtes à Gallieni, vous allez à Bobigny. Est-il possible de faire le trajet avec un seul change-ment ? _____

4. Vous êtes Place d'Italie, vous allez Gare du Nord. Quelle ligne vous prenez ? _____

5. Vous êtes à la station Château de Vincennes, vous allez à République. À quelle station vous faites le chan-gement ? _____

6 Vous êtes à la station Courcelles. Écoutez et répondez.

1. C'est la direction *Nation*.

2. Vous devez changer à la station _____

3. _____

4. _____

À quelle heure part le train ?

(151) Le train à destination de Nice va partir a à 14 h 10 voie 15.

Le train en provenance de Bordeaux va entrer en gare à 15 h 14 voie 33.

→ **Trains au départ**

partir à 14 h 00

Trains à l'arrivée ←

arriver à 16 h 00

TRAIN Nº	Destination	Heure de départ	Voie	Observations
3281	LYON-PERR.	12:13	A	Arrivé
6767	MARSEILLE	12:22	B	Arrivé
1291	NICE	12:53	A	Annulé
5982	GRENOBLE	13:03	A	A l'heure
4441	DIJON	13:12	C	Retardé
5030	ST-ETIENNE	13:37	B	Retardé

(152) **Les heures**

8 h 00 (du matin)

20 h 00 (ou 8 h 00 du soir)

9 h 15 ou 9 h **et quart**

10 h 30 ou 10 h **et demi**

11 h 45 ou **midi moins le quart**

11 h 50 ou **midi moins dix**

12 h 00 ou **midi**

00 h 00 : **minuit**

(153) Ce train part de Marne-la-Vallée le 21 juin à 7 h 49 le et arrive à Bruxelles-Midi à 9 h 42. Le voyage dure 2 heures. Le billet coûte 114 euros.

ACTIVITÉS

7 Observez ce billet et répondez aux questions.

```
70512 003238                                                    2015 8

        ┌─────────────────────────────────────┐
        │   METZ VILLE  -> CANNES              │
        └──────────────────┐                  
                           │  ADULTE          
                           └──────────────────

        Dép 28/10 à 06H47 de METZ VILLE ┌─TGV 37607─┐
          Arr à 15H32 à CANNES          └───────────┘

                           ┌──────────────────────────────────┐
                           │ Classe 2    VOIT 07 : PLACE N° 24 │
                           │ 01 ASSIS NON FUM  SALLE  01 FENETRE│
                           └──────────────────────────────────┘

                                   ┌──────────────────────┐
                                   │   Prix EUR ** 85     │
                                   └──────────────────────┘
```

1. Comment s'appelle la ville de départ ? *Metz*

2. Quelle est la ville d'arrivée ? _____

3. À quelle heure part le train ? _____

4. À quelle heure arrive le train ? _____

5. Combien coûte le billet ? _____

6. Quelle est la date du voyage ? _____

8 Observez le tableau et répondez.

▸▸▸ DU LUNDI AU VENDREDI

Martigues	6h55*	8h50	12h30*	15h00	18h20*	19h45
Marignane	7h30	9h30	13h10	15h40	18h55	20h20
Saint Victoret	7h35	9h35	13h15	15h45	19h00	20h25
Aix-en-Provence Gare TGV	8h00	9h56	13h40	16h10	19h20	20h45

*Les bus avec une * circulent aussi le week-end.*

Vous êtes en vacances à Marignane. C'est jeudi. Vous avez rendez-vous à la Gare TGV d'Aix en Provence à 13 h 40. Quel bus vous choisissez ? _____

154 **9** Écoutez et cochez la bonne case.

1. Où va le train ?		**2.** Le train part de quelle voie ?		**3.** Le train part à quelle heure ?	
Paris	☐	voie 19	☐	19 h 21	☐
Lyon	☐	voie 21	☐	19 h 53	☐
Valence	☐	voie 53	☐	21 h 53	☐

23 Je vais à la librairie

À la librairie-papeterie

– Bonjour, je cherche **un roman**.

– **Les livres** sont ici.

– Merci. Et, est-ce que vous vendez **des agendas** ?

– Oui, notre rayon **papeterie** est au fond du magasin, à droite. Il y a toutes **les fournitures scolaires** et **les accessoires pour le bureau**.

Chez le coiffeur

– Bonjour, j'aimerais prendre rendez-vous pour jeudi soir.

– Oui. C'est pour **une coupe** ?

– Oui, **un shampooing**, une coupe et **un brushing**.

un shampooing   une coupe   un brushing

Chez le marchand de journaux

Voici **le journal, le magazine** et **le ticket de loto**.
Ça fait 15 euros s'il vous plaît.

des journaux   des magazines   une grille de loto

ACTIVITÉS

1 **Cochez la bonne réponse.**

1. J'achète des fournitures scolaires, je vais…

à la papeterie. ☒

chez le coiffeur. ☐

2. Je dois acheter un livre, je vais…

à la librairie. ☐

chez le marchand de journaux. ☐

3. Je veux jouer au loto, je vais acheter des tickets…

à la papeterie. ☐

chez le marchand de journaux. ☐

4. Je veux acheter le journal, je vais…

chez le coiffeur. ☐

chez le marchand de journaux. ☐

2 **a. Reliez les images aux mots.**
b. Écrivez le nom du magasin correspondant.

1. • • **a.** un ticket de loto _____

2. • • **b.** une coupe _____*le coiffeur*_____

3. • • **c.** un agenda _____

4. • • **d.** un livre _____

5. • • **e.** des fournitures scolaires _____

24 Je suis blond et grand

Le visage

les cheveux

l'oreille

la bouche

le menton

l'œil / les yeux

le nez

les dents

le cou

Les cheveux

Elle a les cheveux…

blonds   bruns   roux   noirs

Les cheveux…

courts   longs   raides   frisés

Julie est brune **aux** yeux verts. Elle a **de grands** yeux et **de longs** cheveux.
Stéphane est brun **aux** yeux noirs. Il a **de beaux** yeux et les cheveux **courts**.
Keïko **a les cheveux noirs** et les yeux marron.

1 Complétez.

les _____

l' _____

l' _____

le nez _____

les _____

la _____

le _____

le _____

2 Reliez les images aux couleurs de cheveux.

1. •   2. •   3. •   4. •

a. Les cheveux bruns •   **b.** Les cheveux roux •   **c.** Les cheveux noirs •   **d.** Les cheveux blonds •

3 Entourez la bonne réponse.

1. Il a les yeux *blonds* / *bleus.*   **3.** Elle a les cheveux *grands* / *longs*.

2. Juliette a les yeux *frisés* / *verts*.   **4.** Il a des cheveux *roux* / *bleus*.

4 Transformez les phrases comme dans l'exemple.

1. Cette fille a les cheveux roux.   → *Elle est rousse.*

3. Cette fille a les cheveux blonds.   → Elle est _____ .

3. Ce garçon a les cheveux bruns.   → Il est _____ .

5 Observez et complétez.

Il a les yeux *marron.*

Il a les cheveux _____ .

Il est _____ .

La taille et le poids

 – Ton mari, **il mesure combien** ?
– Paul ? **Il mesure** 1 mètre 87. **Il est grand**.
– Et Jean, **il mesure combien** ?
– Jean **est petit**, **il mesure** 1 mètre 65.
– Et ta mère, **elle est grande** ou **petite** ?
– **Elle mesure** 1 mètre 65. **Elle est de taille moyenne**.

 Paul **mesure** 1,87 mètre et **pèse** 120 kg. **Il est grand et gros**.
≠
Jean **mesure** 1,65 mètre et **pèse** 53 kg. **Il est petit et mince**.

L'âge

 – Quel âge a Sébastien ?
– Il a 17 ans, **il est jeune**.

 – Quel âge a Antoinette ?
– Elle a 78 ans, **elle est âgée**.
   C'est une personne âgée.

 Aujourd'hui c'est l'anniversaire
de mon grand-père Henri.
Il a 80 ans.
C'est un vieux monsieur.

On le dit comme ça

Pour parler du poids
Il est gros / Elle est grosse ≠ Il est mince / Elle est mince
Il/Elle pèse combien ? Il/Elle pèse … kilos.

Pour parler de la taille
Il est petit / Elle est petite ≠ Il est grand / Elle est grande
Il/Elle mesure combien ? Il/Elle mesure … mètres.

Pour parler de l'âge
Il/Elle a … ans
Il est jeune, vieux, âgé. / Elle est jeune, vieille, âgée.

A C T I V I T É S

---

6   **Répondez comme dans l'exemple.**

1. Pascal est gros ? Non, il est *mince*.

2. Jeannette est petite ? Non, elle est _____ .

3. Akiko est grosse ? Non, elle est _____ .

4. Marco est grand ? Non, il est _____ .

5. Ahmed est mince ? Non, il est _____ .

---

7   **Reliez pour faire une phrase complète.**

1. Erik a 18 ans, il est…   • **a.** âgée.

2. Le frère de Jean pèse 90 kilos, il est un peu… •   • **b.** de taille moyenne.

3. Ma grand-mère a 73 ans, elle est…   •   • **c.** grande.

4. Le grand-père de Luc a 89 ans, c'est un…   •   • **d.** gros.

5. Ludivine n'est pas grosse, elle est…   •   • **e.** jeune.

6. Aurélie mesure 1,75 m, elle est…   •   • **f.** mince.

7. Le mari d'Eva mesure 1,62 m, il est…   •   • **g.** petit.

8. Caroline et sa sœur ne sont pas grandes.   •   • **h.** vieux monsieur.
Elles ne sont pas petites non plus, elles sont…

---

8   **Observez et décrivez Raphaël et Zoé (taille, poids, âge).**

Raphaël est grand. *Il mesure* _____
_____
_____
_____

Zoé est _____
_____
_____
_____

---

9   **Et vous ? Décrivez votre artiste préféré(e).**

Il / Elle est _____
_____
_____
_____
_____

25

Je cherche une robe

Au rayon femme

– Bonjour madame, **vous avez besoin d'un renseignement** ?
– Non merci, je regarde. Ah, si ! Est-ce que vous avez **des jupes et des vestes** ?
– Oui. Nous avons des jupes et des vestes. Nous avons aussi **des tailleurs**.
– Ah oui, un tailleur !
– Ils sont à droite du magasin, à côté **des chemisiers**. Il y a aussi **des robes**.
– Merci !

Au rayon homme

– Bonjour monsieur, **je peux vous aider ?**
– Bonjour, oui, je cherche **un costume**.
– **Quelle est votre taille ?**
– **Je fais du 46.**
– Vous voulez un costume **de quelle couleur** ?
– **Gris clair**.
– Ils sont ici. Nous avons aussi des costumes **noirs, beiges** ou **marron**. Vous voulez aussi **une chemise** ?
– Non, je vous remercie.

 Les couleurs

| bleu | jaune | vert | rouge | marron | beige | blanc | noir |

Dans la cabine d'essayage

– Alors, monsieur, **est-ce que ça va ?**
– Non, le pantalon **est trop grand**.

1 Reliez les images aux mots.

1. •   2. •   3. •   4. •   5. •

• **a.** une chemise   • **b.** une jupe   • **c.** une robe   • **d.** un tailleur   • **e.** une veste

2 Retrouvez les 7 noms dans la grille.

```
C  O  S  T  U  M  E  Z
C  H  E  M  I  S  E  H
Y  U  O  R  R  O  B  E
P  A  N  T  A  L  O  N
M  Y  L  J  J  U  P  E
X  T  Q  V  E  S  T  E
T  A  I  L  L  E  U  R
```

~~CHEMISE~~
COSTUME
JUPE
PANTALON
ROBE
TAILLEUR
VESTE

3 Cochez la bonne case.

	Pour homme	Pour femme	Pour homme et femme
1. Un pantalon			X
2. Un tailleur			
3. Un costume			
4. Un chemisier			
5. Une jupe			
6. Une veste			

170 **4** Complétez le dialogue. Écoutez pour vérifier vos réponses.

– Bonjour, je cherche un *costume* pour un mariage.

– Oui, de quelle couleur ?

– _____. ☐

– D'accord. Et vous faites quelle taille ?

– Pour le _____ 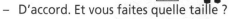, je fais du 44. Mais pour la _____ ,

je fais du 42.

Les habits

un pantalon   un short   un manteau   un pull   un haut

Les sous-vêtements, la lingerie (pour femme)

un slip   une culotte   un soutien-gorge   des chaussettes

Les accessoires

une cravate   une ceinture   une écharpe   un chapeau

des lunettes de soleil   un parapluie   des chaussures

EXERCICES

5 Cochez la bonne case.

	Un vêtement	Un sous-vêtement	Un accessoire
1. Un manteau	X		
2. Une cravate			
3. Un slip			
4. Une culotte			
5. Un pantalon			
6. Un chapeau			
7. Un haut			
8. Une ceinture			

6 Complétez la grille.

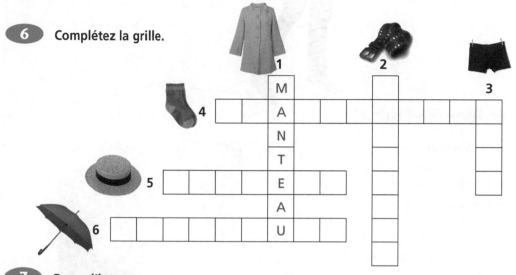

```
                1              2              3
              M
        4 [ ][ ][A][ ][ ][ ][ ][ ][ ][ ][ ][ ]
              N
              T
        5 [ ][ ][ ][E][ ][ ]
              A
        6 [ ][ ][ ][ ][ ][U][ ][ ]
```

7 Rayez l'intrus.

1. slip / ~~pull~~ / soutien-gorge
2. cravate / écharpe / manteau
3. chaussettes / pantalon / short

4. chapeau / short / haut
5. ceinture / lunettes de soleil / pull

8 Décrivez les habits et les accessoires de ces deux personnes.

Il a un parapluie, il porte _____

_____

_____

_____

Elle porte _____

_____

_____

_____

26 J'ai mal au ventre

Le corps

la tête

le bras

le ventre

la main

la jambe

le pied

Chez le médecin

– Bonjour **docteur**.

– Bonjour monsieur Mordini, qu'est-ce qui ne va pas ?

– **Je suis malade. J'ai mal à la tête** et **au ventre. Je suis enrhumé** et **j'ai de la fièvre**.

– Vous avez **de la température** ?

– Oui, **j'ai 38,2**.

– Voici **une ordonnance** pour **les médicaments**.

– Merci docteur. Je vais **à la pharmacie**.

être enrhumé(e) / un rhume

tousser / la toux

avoir mal à la gorge

une ordonnance

la pharmacie

un thermomètre / prendre sa température

1 Complétez.

la t*ête*

la m_____

le v_____ _____

le b_____

la j _____

le p_____

2 Observez les photos et écrivez.

1. *Il a mal à la tête.* **2.** _____ **3.** _____ **4.** _____

3 Complétez avec les mots suivants : *médicaments – pharmacie – tête – ventre – enrhumé – tousse – ordonnance.*

1. Franck a mal à la *tête* et au _____ .

2. Il est _____ et il _____ un peu.

3. Il va à la _____ avec son _____ pour acheter des _____.

(177) 4 Écoutez et complétez.

– Bonjour monsieur Bardet, qu'est-ce qui ne va pas ?

– Bonjour *docteur*, j'ai mal à la _____ et je suis _____.

– Ah, est-ce que vous avez de la _____ ?

– Oui, j'ai 38,7°.

– Est-ce que vous _____ ?

– Non.

– Voici votre _____ pour les _____.

À la pharmacie

 Je vais à la pharmacie avec mon ordonnance. Le pharmacien donne les médicaments.

J'ai de la fièvre, je **prends des comprimés**.

Je tousse beaucoup, je **prends un sirop**.

J'ai mal à la gorge, je **prends des pastilles**.

des comprimés
effervescents

un sirop

des pastilles
pour la gorge

 À la pharmacie, j'achète **de l'aspirine** contre le mal de tête, **des pansements, des préservatifs, un désinfectant**, des produits de beauté, des produits pour les bébés, des mouchoirs en papier, des crèmes.

des pansements

des préservatifs

du coton
et du désinfectant

À l'hôpital

 Hector a très mal au ventre. Il va à l'hôpital, au service **des urgences**.

5 **Reliez les mots aux images.**

1. Du sirop

2. Des pastilles pour la gorge

3. Un désinfectant

4. Des comprimés effervescents

5. Des pansements

a.

b.

c.

d.

e.

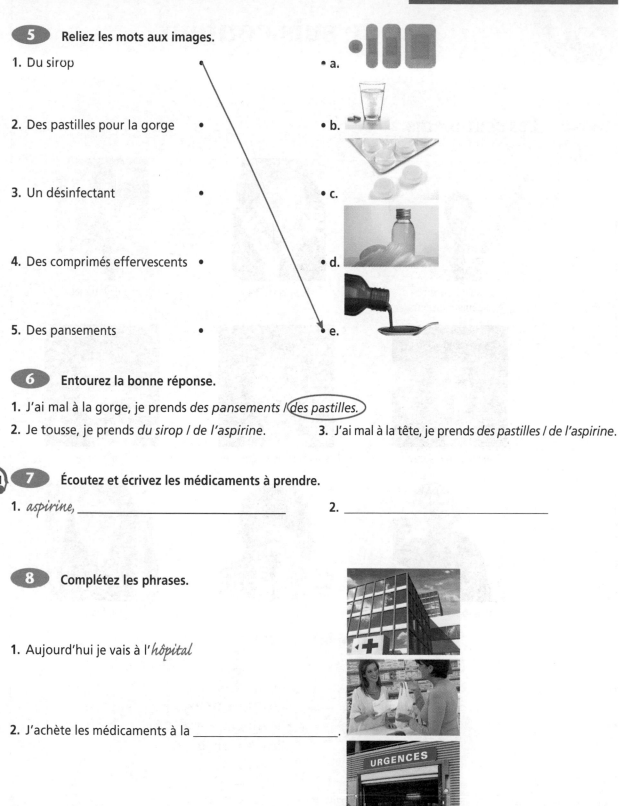

6 **Entourez la bonne réponse.**

1. J'ai mal à la gorge, je prends *des pansements* / *des pastilles.*

2. Je tousse, je prends *du sirop* / *de l'aspirine.*   **3.** J'ai mal à la tête, je prends *des pastilles* / *de l'aspirine.*

181 **7** **Écoutez et écrivez les médicaments à prendre.**

1. *aspirine,* _____   2. _____

8 **Complétez les phrases.**

1. Aujourd'hui je vais à l'*hôpital*

2. J'achète les médicaments à la _____.

3. J'ai mal à la jambe, je vais aux _____.

Je suis content

Les sentiments

Je suis heureux. /
Je suis content.

Je suis triste.

Je suis fatiguée.

Je suis en colère.

Je suis surprise / étonnée.

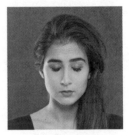

Je m'ennuie.

J'ai chaud. / J'ai froid.

J'ai peur.

J'ai faim.

On le dit comme ça

Il est heur**eux**.	Elle est heur**euse**.
Il est con**tent**.	Elle est con**tente**.
Il est surpr**is**.	Elle est surpr**ise**.
Il est triste.	Elle est triste.

Il / Elle **est en** colère
Il / Elle **a** peur, chaud, froid, faim, soif.

1   Regardez les photos et écrivez.

1. Il est *fatigué.*

2. Il est _____ .

3. Il est _____ .

4. Elle est _____ .

2   Cochez la bonne case.

	☺	☹
1. Jean est content.	X	
2. Jeanne est triste.		
3. Éric est en colère.		
4. Lisa est fatiguée.		
5. Louise est heureuse.		
6. Marco s'ennuie.		

3   Complétez les phrases.

1. C'est l'hiver. J'ai *froid.*

2. Je suis au restaurant. Hum, ça a l'air bon ! J'ai _____ .

3. Il fait nuit. J'ai _____ .

28 J'adore !

Les préférences

J'aime la pizza. ☺
J'aime beaucoup la pizza. ☺☺
J'adore la pizza. ☺☺☺
Je n'aime pas la pizza. ☹
Je déteste la pizza. ☹☹☹
Je préfère les hamburgers.

Les qualités et les défauts

Il est beau.
≠ Il est moche.

Il est sympathique.
≠ Il est antipathique.

Elle est intelligente.
≠ Elle est bête.

Elle est drôle

Il est méchant.
≠ Il est gentil.

On le dit comme ça

Il est beau.	Elle est belle.
Il est moche.	Elle est moche.
Il est sympathique.	Elle est sympathique.
Il est intelligent.	Elle est intelligente
Il est bête.	Elle est bête.
Il est drôle.	Elle est drôle.
Il est gentil.	Elle est gentille
Il est méchant.	Elle est méchante.

1 Complétez les phrases.

1. J'*aime* le poisson. ☺

2. J'_____ le poulet. ☺☺☺

3. Je _____ les légumes. ☹

4. J'_____ la pizza. ☺☺

5. J'_____ le chocolat. ☺☺

6. Je déteste _____ . ☹☹☹

(186) **2** Écoutez et cochez la bonne case.

Léo et Joséphine sont au restaurant.

Joséphine...	aime	adore	n'aime pas	déteste
Le poisson				X
Le poulet				

Léo...	aime	adore	n'aime pas	déteste
Le poisson				
Le poulet				

3 Cochez la bonne case.

	☺	☹
Lucas est beau.	X	
Sarah est méchante.		
Ludovic est intelligent.		
Fabrice est bête.		
Ludivine est gentille.		
Jacques est drôle.		

4 Observez l'image et imaginez 2 qualités et 2 défauts de cette personne.

1. Qualités

Il est *sympathique*.

Il est _____ et _____.

2. Défauts

Il est _____ et _____.

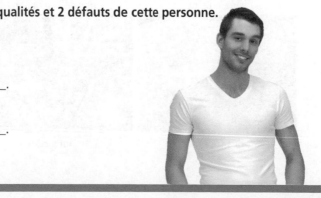

29 Appartement à louer

J'habite…

 187

un appartement

une maison

Les pièces de la maison

 188

une chambre

un salon

un bureau

une cuisine

une salle à manger

une salle de bains

des toilettes

un jardin

un garage

1 Retrouvez les 6 noms dans la grille.

```
A T E S A L O N X R
G D O C J A R D I N
W M A I S O N M J C
G S K E B U R E A U
Z G I J X E L I Q P
F T R J S J P B D L
G A R A G E Y M A Y
J J C H A M B R E F
```

~~MAISON~~

BUREAU

CHAMBRE

GARAGE

JARDIN

SALON

2 Complétez.

la *chambre*

la _____

les _____

la _____

le _____

3 (189) Écoutez et écrivez le numéro du message sous la bonne image.

a. Message ____

b. Message ____

c. Message ____

d. Message *1*

e. Message ____

f. Message ____

L'agence immobilière

– Bienvenue à l'agence Logimmo. Je peux vous aider ?

– Nous cherchons un appartement de 3 pièces **à louer**.

– Dans quelle ville ? À Montreuil ?

– Oui, à Montreuil, en centre-ville, près de la mairie.

– J'ai **un appartement de 3 pièces**. Il y a 2 chambres et un salon. Il fait **62 mètres carrés**.

– Quel est **le prix** ?

– **Le loyer** est de 907 euros par mois.

– Et c'est à quel étage ?

– Au troisième étage, et il y a **un ascenseur**.

À louer

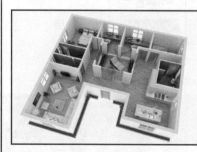

Appartement 3 pièces à Montreuil
Loyer : 907 € / mois
- Surface : 62 m^2
- 3e étage avec ascenseur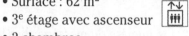
- 2 chambres
- Salon
- Cuisine
- 1 salle de bains avec douche – Toilettes

À vendre

Maison 85 m^2 à Hyères
Prix : 229 000 €
- Cuisine
- Salon
- 2 chambres
- Salle de bains avec douche
- Garage
- Jardin

191 **4** Écoutez et écrivez le numéro de l'annonce sous la bonne image.

a. Annonce _____

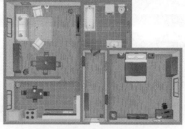

b. Annonce ___*1*___

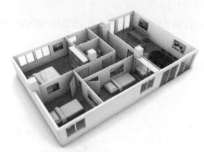

c. Annonce _____

d. Annonce _____

192 **5** Écoutez et cochez la bonne case.

	À louer	À vendre
1.	X	
2.		
3.		
4.		

193 **6** Mettez le dialogue dans l'ordre. Écoutez pour vérifier.

– Oui, nous cherchons une maison à louer. ___

– Bonjour, je peux vous aider ? _1_

– J'ai une maison de 4 pièces à Aubagne. ___

– Dans quelle ville ? ___

– Ah oui ? Quel est le loyer ? ___

– C'est 700 € par mois. ___

– À côté de Marseille. ___

7 Et vous ? Décrivez votre maison ou votre appartement.

J'habite un(e) _____ de _____ pièces.

Il y a *une cuisine,* _____

_____

194 **1** **Qui est Margaux ? Écoutez et entourez la bonne réponse.**

1. 2. 3. 4.

2 **Complétez la lettre de Margaux avec les mots suivants : heureuse, drôle, déteste, adore.**

Je vais à Paris la semaine prochaine ! Je suis *heureuse* ! Je vais voir mon amie

Lucile. Elle est _____ . On va aller au restaurant :

j'_____ ♥ les crêpes, mais je _____ le fromage !

195 **3** **Écoutez et reliez les appartements aux prix.**

1. Studio 1 pièce à Montrouge   • a. 349 €
2. Appartement 2 pièces à Paris   • b. 549 €
3. Appartement 3 pièces à Neuilly   • c. 280 €
4. Appartement 4 pièces à Vincennes •   • d. 620 €

196 **4** **Écoutez et entourez les vêtements entendus.**

5 **Reliez les magasins aux objets.**

1. À la librairie-papeterie,   • a.

2. À la boulangerie,   •   • b.

on achète...

3. Chez le marchand de journaux,   •   • c.

4. À la pharmacie,   •   • d.

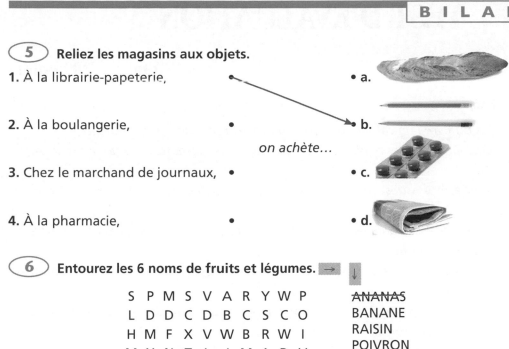

6 **Entourez les 6 noms de fruits et légumes.** → ↓

```
S  P  M  S  V  A  R  Y  W  P       ANANAS
L  D  D  C  D  B  C  S  C  O       BANANE
H  M  F  X  V  W  B  R  W  I       RAISIN
M  X  N  T  L  J  M  A  D  V       POIVRON
B  M  G  P  R  M  S  I  A  R       CAROTTE
T  A  A  N  A  N  A  S  B  O       CHAMPIGNON
B  A  N  A  N  E  C  I  X  N
C  H  A  M  P  I  G  N  O  N
C  A  R  O  T  T  E  C  T  K
F  W  A  T  Z  C  W  H  G  M
```

197 **7** **Écoutez et reliez les personnes aux petits déjeuners.**

1. Élodie •   • a.

2. Ayako •   • b.

3. Hassen •   • c.

4. David •   • d.

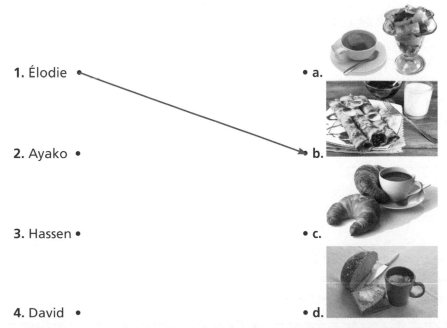

TEST D'ÉVALUATION

Total : …/100 points

1 **Entourez les bonnes réponses.** **… / 10**

1. Dans la classe, il y a *un livre / un cahier / une fourchette / du sel / un bus / un stylo*.

2. Au marché, il y a *des bananes / des médicaments / un menu / des tomates / des pommes de terre / des tickets de métro*.

3. Dans une boulangerie, il y a *des baguettes / de l'aspirine / des croissants / des gâteaux au chocolat / du coton*.

4. Dans une pharmacie, il y a *des ananas / des livres / du sirop / des pansements / des billets de train / des pastilles pour la gorge*.

5. Au restaurant, il y a *des assiettes / des culottes / des couteaux / des pantalons / des thermomètres / des verres / des couverts*.

6. Dans un appartement, il y a plusieurs pièces : *une cuisine / une chambre / un ordinateur / une salle de bains / un jardin / un croissant*.

7. Dans un magasin de vêtements, il y a *des chapeaux / de la farine / des ceintures / des robes / de l'huile / des croissants*.

8. Dans la ville, il y a *des rues / des médicaments / des maisons / un tramway / une gare / des haricots verts*.

9. À la librairie-papeterie, il y a *des fournitures scolaires / des slips / des livres / des agendas / des chaussures / des fournitures pour le bureau / du coton*.

10. Au rayon épicerie, il y a *de la farine / des oignons / du poivre / de la moutarde / des pâtes / du raisin*.

2 **Complétez.** **… / 10**

1. Mon _____ est jerome78@yahoo.fr.

2. J'achète des fruits de mer au rayon _____ du supermarché.

3. Pour dire « bonjour » à un ami, je peux dire _____.

4. Mon âge ? J'ai 35 _____.

4. Mélanie travaille dans un magasin, elle est _____.

6. Le _____ au restaurant coûte 15 € pour une entrée, un plat et un dessert.

7. Pour acheter un magazine, je vais à la _____.

8. Pour prendre le train, j'achète un _____.

9. Le _____ au chocolat est une viennoiserie.

10. La lettre « a » est une _____.

3 **Trouvez une réponse.** **… / 10**

1. Je peux avoir l'addition, s'il vous plaît ? _____

2. Où se trouve la poste ? _____

3. Quel est votre moyen de transport préféré ? _____

4. Où est-ce qu'on peut acheter un rôti de veau ? _____

5. Qu'est-ce que vous faites pour apprendre le français ? _____

6. Vous avez quel âge ? _____

7. Bonjour, comment allez-vous ? _____

8. Vous venez d'où ? _____

9. Quelle est votre profession ? _____

10. Dans la salade de fruits, vous préférez quels fruits ? _____

4 Complétez avec le bon verbe (plusieurs solutions possibles).   ... / 10

1. J'_____ 32 ans.

2. J'_____ à Budapest.

3. Il _____ les yeux verts.

4. Elle _____ blonde.

5. Il _____ 1,87 m.

6. Combien _____ cet appartement ?

7. Je _____ une baguette, s'il vous plaît !

8. Je dois _____ de l'argent au distributeur.

9. Je _____ enrhumée.

10. Bonjour madame, comment_____ -vous ?

5 Entourez la bonne réponse.   ... / 10

1. 41 s'écrit *quarante et un* / *quatre-vingt-un*.

2. Pour saluer un commerçant, je dis *salut* / *bonjour*.

3. J'arrive au restaurant, le serveur me donne *l'addition* / *la carte*.

4. Éva est la fille de ma mère, c'est *ma sœur* / *mon frère*.

5. Nicolas vient de France. Il est *français* / *francien*.

6. Pour payer, il faut écrire le montant sur *le chèque* / *la carte*.

7. À la pharmacie, je trouve *des pansements* / *des oranges*.

8. Dans un magasin de vêtements, il y a *du riz* / *des chemises*.

9. Chaque mois, je paye *un loyer* / *un ticket* pour mon appartement.

10. Chez le coiffeur, je demande *une tranche* / *une coupe*.

6 Répondez aux questions.   ... / 10

1. Quelle est la couleur de vos yeux ? Et de vos cheveux ? _____

2. Quels sont vos vêtements préférés ? _____

3. Comment est votre maison (ou appartement, nombre de pièces...) ? _____

4. Qu'est-ce que vous faites dans la vie ? Quel est votre métier ? _____

5. Comment est votre famille ? _____

6. Qu'est-ce que vous faites le week-end ? _____

7. Quelle est votre adresse ? _____

8. Comment vous sentez-vous quand vous regardez un film d'horreur ? _____

9. Qu'est-ce que vous achetez à la boulangerie ? _____

10. Comment allez-vous au travail ? Quel transport prenez-vous ? _____

7 Entourez la ou les bonnes réponses.   ... / 10

1. Au rayon boucherie, on peut acheter *un bifteck* / *des saucisses* / *des oranges*.

2. Au rayon poissonnerie, on trouve *des huîtres* / *des moules* / *un rôti*.

3. À la boulangerie, on trouve *du pain de mie* / *des pansements* / *un éclair au chocolat*.

4. À la pharmacie, on trouve *des annonces / des comprimés effervescents / des crèmes*.

5. J'aime le sport, je fais *du piano / de la boxe / de la danse*.

6. Dans ma famille, il y a *ma sœur / mon ordonnance / mes grands-parents*.

7. Dans ma trousse, il y a *du riz / un surligneur / un stylo*.

8. Je lis *un livre / un magazine / un magasin*.

9. En classe, *je fais des exercices / j'essaye une chemise / j'épelle un mot*.

10. Ma nationalité est *chinoise / Allemagne / marocaine*.

8 Répondez par le contraire.   ... / 10

1. Louis, c'est ton nom ? Non, c'est mon _____.

2. Denis, il est gentil ? Non, il est _____.

3. Tu es grande ! Ah non, je suis _____ !

4. Tu veux poser une question ? Non, je veux _____ à la question.

5. Tu as des cheveux courts ? Non, j'ai des cheveux _____.

6. J'adore lire ! Et toi ? Ah non, moi je _____ lire !

7. Tu habites en centre-ville ? Non, j'habite en _____.

8. Ahmed est vieux ? Non, il est _____.

9. Au Canada, le midi c'est le déjeuner, non ? Non, au Canada, le midi, c'est le _____.

10. La poste, c'est à gauche ? Non, c'est à _____.

9 Vrai ou faux ?   ... / 10

	Vrai	Faux
1. Le poulet Yassa est une spécialité belge.	☐	☐
2. On achète le sirop contre la toux à la pharmacie.	☐	☐
3. Le pourboire est obligatoire en France.	☐	☐
4. En général, on mange du fromage en entrée.	☐	☐
5. Pour demander l'addition, on fait un signe de la main au serveur.	☐	☐
6. En Belgique, 90 se dit nonante.	☐	☐
7. Quand on se présente, on dit son prénom avant son nom de famille.	☐	☐
8. En France, pour dire bonjour, on se fait la bise ou on se sert la main.	☐	☐
9. En France, on dit « vous » aux commerçants.	☐	☐
10. Pour téléphoner en Belgique, il faut composer le 32 comme indicatif.	☐	☐

10 Parlez de votre pays.   ... / 10

1. Votre pays : _____

2. Votre ville : _____

3. La monnaie de votre pays : _____

4. Nombre de lettres dans l'alphabet de votre langue : _____

5. Le nom d'un fruit de votre pays : _____

6. Le sport préféré de votre pays : _____

7. Le moyen de transport préféré des habitants de votre pays : _____

8. Une spécialité gastronomique de votre pays : _____

9. Pour saluer quelqu'un dans votre pays, que fait-on ? _____

10. Comment dit-on « enchanté(e)» dans votre pays ? _____

LEXIQUE

La catégorie grammaticale du mot est indiquée entre parenthèse ainsi que le genre des noms.

adj. = adjectif
adv. = adverbe
f. = féminin

interj. = interjection
m. = masculin
n. = nom

p.p. = participe passé
prep. = préposition
v. = verbe

A

à bientôt (interj.), 18
abricot (n.m.), 48
accent (n.m.), 6
accessoire (n.m.), 90
addition (n.f.), 64
adorer (v.), 96
adresse (n.f.), 26
adresse électronique (n.f.), 32
âge (n.m.) 16
âgé(e) (adj.), 86
agence immobilière (n.f.), 102
agenda (n.m.), 82
aider (v.), 88
aimer (v.), 38, 96
aller (v.), 20
an (n.m.) 16
ananas (n.m.), 48
année (n.f.), 44
antipathique (adj.), 98
août (n.m.), 44
appartement (n.m.), 100
appeler (s') (v.), 14, 22
appétit (n.m.), 66
argent (n.m.), 68
arobase (n.f.), 32
arrêt (n.m.), 76
arrivée (n.f.), 80
arriver (v.), 72
ascenseur (n.m.), 102
aspirine (n.f.), 94
assiette (n.f.), 60
au revoir (interj.), 18
autobus (n.m.), 76
avenue (n.f.), 72
avocat (-e) (n.), 34
avoir besoin (v.), 88
avoir mal (v.), 92
avril (n.m.), 44

B

badminton (n.m.), 38
baguette (n.f.), 56
banane (n.f.), 48
banlieue (n.f.), 28
banque (n.f.), 36
batterie (n.f.), 40
beau / belle (adj.), 98
beige (adj.), 88
bête (adj.), 98
beurre (n.m.), 54, 60
bien (adv.), 20
bienvenue (interj.), 24

bifteck (n.m.), 52
billet (n.m.), 68
blanc(he) (adj.), 88
blanquette (n.f.), 66
bleu(e) (adj.), 88
blond(e) (adj.), 84
bœuf (n.m.), 66
bœuf bourguignon (n.m.), 66
boire (v.), 62
bon (adj.), 64
bonbon (n.m.), 56
bonjour (interj.), 16
bouche (n.f.), 84
boucherie (n.f.), 52
boudin (n.m.), 66
boulanger (-ère) (n.), 34
boulangerie (n.f.), 36
boulevard (n.m.), 72
bouteille (n.f.), 54
boxe (n.f.), 38
bras (n.m.), 92
brun(e) (adj.), 84
brushing (n.m.), 82
bureau (n.m.), 100
bus (n.m.), 76

C

cabine (n.f.), 88
café (n.m.), 60, 64
cahier (n.m.), 10
camembert (n.m.), 54
campagne (n.f.), 28
carotte (n.f.), 48
carte (n.f.), 40, 62
carte bancaire (n.f.), 68
carte d'abonnement (n.f.), 76
cassoulet (n.m.), 66
ceinture (n.f.), 90
célibataire (adj.), 42
cent (adj.), 8
centre-ville (n.m.), 28, 74
cerise (n.f.), 48
chambre (n.f.), 100
champagne (n.m.), 66
champignon (n.m.), 48
changement (n.m.), 78
changer (v.), 78
chant (n.m.), 40
chapeau (n.m.), 90
chaud(e) (adj.), 96
chaussette (n.f.), 90
chausson aux pommes (n.m.), 56
chaussure (n.f.), 90

chemise (n.f.), 88
chemisier (n.m.), 88
chèque (n.m.), 68
chercher (v), 74, 88
cheveu (n.m.), 84
chiffre (n.m.), 8
chocolat (n.m.), 56
choucroute (n.f.), 66
cinéma (n.m.), 40
cinq (adj.), 8
cinquante (adj.), 8
clair(e) (adj.), 88
classe (n.f.), 10
code (v.), 68
code postal (n.m.), 26
code secret (n.m.), 68
coiffeur (-euse) (n.), 34, 82
colère (en) (adj.), 96
combien (adv. inter.), 50, 70, 86
composer (v.), 30
composter (v.), 76
comprendre (v.), 12
comprimé (n.m.), 94
concombre (n.m.), 48
confiture (n.f.), 60
consonne (n.f.), 6
content(e) (adj.), 96
corps (n.m.), 92
correspondance (n.f.), 78
corriger (v.), 12
costume (n.m.), 88
coton (n.m.), 94
cou (n.m.), 84
couleur (n.f.), 88
coupe (n.f.), 82
couple (n.m.), 44
courgette (n.f.), 48
courriel (n.m.), 32
court(e) (adj.), 84
couscous (n.m.), 66
couteau (n.m.), 60
coûter (v.), 70, 80
cravate (n.f.), 90
crème (n.f.), 94
crème fraîche (n.f.), 54
crevette (n.f.), 52
croissant (n.m.), 56, 60
cuillère (n.f.), 60
cuisine (n.f.), 100
culotte (n.f.), 90

D

danse (n.f.), 38

LEXIQUE

date (n.f.), 44, 68
décembre (n.m.), 44
défaut (n.m.), 96
déjeuner (n.m.), 60
déjeuner (v.), 62
délicieux (adj.), 64
demi (n.f.), 80
dent (n.f.), 84
départ (n.m.), 80
déplacer (se) (v.), 72, 78
derrière (prep.), 72
désinfectant (n.m.), 94
désirer (v.), 58
dessert (n.m.), 62
dessin (n.m.), 40
destination (n.f.), 80
détester (v.), 96
deux (adj.), 8
deuxième (n.m.), 28
devant (prep.), 72
devoir (v.), 70
dimanche (n.m.), 10
dîner (n.m.), 60
dire (v.) 12
direct (adj.), 78
direction (n.f.), 78
disponible (adj.), 64
distributeur (n.m.), 68
dix (adj.), 8
dix-huit (adj.), 8
dix-neuf (adj.), 8
dix-sept (adj.), 8
docteur (n.m.), 92
douzaine (n.f.), 54
douze (adj.), 8
droite (adj.), 72
drôle (adj.), 98
durer (v.), 80

E

eau (n.f.), 62
écharpe (n.f.), 90
éclair (n.m.), 56
école (n.f.), 36
écouter (v.), 12
écrire (v.), 12
effervescent(e) (v.), 94
élève (n.), 12
email (n.m.), 30, 32
enchanté(e) (interj.), 22
enfant (n.), 42
ennuyer (s') (v.), 96
enrhumé(e) (adj.), 92
entrée (n.f.), 62
entreprise (n.f.), 36
entrer (v.), 80
envoyer (v.), 32
épeler (v.), 12
épicerie (n.f.), 54
équitation (n.f.), 38
escargot (n.m.), 66
essayage (n.m.), 88
est (n.m.), 74

étage (n.m.), 28, 102
étonné(e) (adj.), 96
euro (n.m.), 68
exercice (n.m.), 12

F

facteur (-trice) (n.), 34
facture (n.f.), 70
faim (n.f.), 96
faire (v.), 38
famille (n.f.), 42
farine (n.f.), 54
fatigué(e) (adj.), 96
femme (n.f.), 44, 88
février (n.m.), 44
fièvre (n.f.), 92
filet (n.m.), 52
fille (n.f.), 44
fils (n.m.), 44
fixe (adj.), 30
foie gras (n.m.), 66
fondue (n.f.), 66
football (n.m.), 38
formule (n.f.), 62
fourchette (n.f.), 60
fourniture de bureau (n.f.), 82
fourniture scolaire (n.f.), 82
fraise (n.f.), 50
frère (n.m.), 42
frisé(e) (adj.), 84
froid(e) (adj.), 96
fromage (n.m.), 54
fruit (n.m.), 48
fruit de mer (n.m.), 52

G

garage (n.m.), 100
gare (n.f.), 74, 76
gâteau (n.m.), 56
gauche (adj.), 72
gazeuse (adj.), 62
gentil(le) (adj.), 98
glace (n.f.), 56
glacé(e) (adj.), 52
gorge (n.f.), v. 92
gramme (n.m.), 50
grand(e) (adj.), 42, 86
grand-mère (n.f.), 42
grand-père (n.m.), 42
grands-parents (n.m.), 42
grille de loto (n.f.), 82
gris(e) (adj.), 88
gros(se) (adj.), 86
gruyère (n.m.), 54
guitare (n.f.), 38

H

habit (n.m.), 90
habiter (v.), 26, 28, 100
haché(e) (adj.), 52
haricot vert (n.m.), 48
heure (n.f.), 80
heureux (-se) (adj.), 96

homme (n.m.), 88
hôpital (n.m.), 36, 94
huile (n.f.), 54
huit (adj.), 8
huitante (adj.), 8
huître (n.f.), 52

I-J

ici (prep.), 74
immeuble (n.m.), 28
indicatif (n.m.), 30
infirmier (-ère) (n.), 34
intelligent(e) (adj.), 98
jambe (n.f.), 92
janvier (n.m.), 44
jardin (n.m.), 100
jaune (adj.), 88
jeu (n.m.), 40
jeu vidéo (n.m.), 40
jeudi (n.m.), 10
jeune (adj.), 86
jour (n.m.), 10
jour férié (n.m.), 10
journal (n.m.), 82
juillet (n.m.), 44
juin (n.m.), 44
jupe (n.f.), 88
jus de fruits (n.m.), 60

K-L

karaté (n.m.), 38
ketchup (n.m.), 54
kilo (n.m.), 50, 86
kiwi (n.m.), 48
là (prep.), 74
là-bas (prep.), 74
lait (n.m.), 54
laitier (-ère) (adj.), 54
lecture (n.f.), 40
légume (n.m.), 48
lettre (n.f.), 6
librairie (n.f.), 82
lieu (n.m.), 76
ligne (n.f.), 78
lingerie (n.f.), 90
lire (v.), 12
livre (n.m.), 10, 82
loin (prep.), 74
loisir (n.m.), 40
long(ue) (adj.), 84
louer (v.), 100, 102
loyer (n.m.), 102
lundi (n.m.), 10
lunettes de soleil

M

madame (n.f.), 18
magazine (n.m.), 82
mai (n.m.), 44
main (n.f.), 92
maison (n.f.), 28, 100
majuscule (n.f.), 6
malade (adj.), 92

salon (n.m.), 100
salon de coiffure (n.m.), 36
salut (interj.), 18
samedi (n.m.), 10
sauce (n.f.), 54
saucisse (n.f.), 52
secrétaire (n.), 34
seize (adj.), 8
sel (n.m.), 54
semaine (n.f.), 10
sentiment (n.m.), 96
sept (adj.), 8
septante (adj.), 8
septembre (n.m.), 44
serviette (n.f.), 60
shampoing (n.m.), 82
short (n.m.), 90
signer (n.f.), 68
sirop (n.m.), 94
six (adj.), 8
slip (n.m.), 90
sœur (n.f.), 42
soixante (adj.), 8
soixante-dix (adj.), 8
sortie (n.f.), 78
souhaiter (v.), 64
soupe (n.f.), 66
sous-vêtement (n.m.), 90
soutien-gorge (n.m.), 90
sport (n.m.), 38
station (n.m.), 76
steak (n.m.), 52
stylo (n.m.), 10
sucre (n.m.), 54
sud (n.m.), 74
supermarché (n.m.), 52
surgelé (n.m.), 52
surligneur (n.m.), 10
surprise (adj.), 96
sympathique (adj.), 98

T

table (n.f.), 64
tableau (n.m.), 10
tableau blanc interactif, TBI (n.m.), 10
tablette (n.f.), 10
taille (n.f.), 86
tailleur (n.m.), 88
tante (n.f.), 42
taper (v.), 68
tarte (n.f.), 56
tartine (n.f.), 60
téléphone (n.m.), 30
température (n.f.), 92
tête (n.f.), 92
thé (n.m.), 60
théâtre (n.m.), 40
thermomètre (n.m.), 92
ticket (n.m.), 70, 76
ticket de loto (n.m.), 82
tiret (n.m.), 32
toilettes (n.f.), 100
tomate (n.f.), 48
tourner (v.), 72
tousser (v.), 92
toux (n.f.), 92
train (n.m.), 76
trajet (n.m.), 78
tramway (tram) (n.m.), 76
tranché(e) (adj.), 58
transport en commun (n.m.), 76
travail (n.m.), 36
travailler (v.), 36
traverser (v.), 72
treize (adj.), 8
trente (adj.), 8
triste (adj.), 96
trois (adj.), 8
troisième (n.m.), 28
trouver (se) (v.), 74

U-V-W

un (adj.), 8
underscore (n.m.), 32
urgences (n.f.), 94
usine (n.f.), 36
veau (n.m.), 52
vélo (n.m.), 38
vendeur (-euse) (n.), 34
vendre (v.), 102
vendredi (n.m.), 10
venir (v.), 24
ventre (n.m.), 92
verre (n.m.), 60
vert(e) (adj.), 88
veste (n.f.), 88
viande (n.f.), 52
viennoiserie (n.f.), 56
vieux / vieille (adj.), 86
village (n.m.), 28
ville (n.f.), 26, 28
vin (n.m.), 62, 66
vinaigre (n.m.), 54
vingt (adj.), 8
vingt et un (adj.), 8
vingt-cinq (adj.), 8
vingt-deux (adj.), 8
vingt-quatre (adj.), 8
vingt-trois (adj.), 8
voir (v.), 76
volaille (n.f.), 52
volleyball (n.m.), 38
vouloir (v.), 50
voyelle (n.f.), 6
VTT (n.m.), 38
week-end (n.m.), 10

Y – Z

yaourt (n.m.), 54
yoga (n.m.), 38
zéro (adj.), 8

PAYS		
l'Afrique du Sud	allemand	allemande
l'Allemagne	sud-africain	sud-africaine
l'Argentine	argentin	argentine
la Belgique	belge	belge
la Chine	chinois	chinoise
la Corée	coréen	coréenne
l'Égypte	égyptien	égyptienne
l'Espagne	espagnol	espagnole
les États-Unis	américain	américaine
la France	français	française
l'Inde	indien	indienne
l'Italie	italien	italienne
le Japon	japonais	japonaise
le Maroc	marocain	marocain
la Russie	russe	russe
le Sénégal	sénégalais	sénégalaise
la Thaïlande	thaïlandais	thaïlandaise

Imprimé en France par Clerc, en juin 2021
N° de projet : 10275704 - Dépôt légal : janvier 2018